你
清风自来

NI RUO SHENGKAI,
QINGFENG ZI LAI

杨承清 编著

北方妇女儿童出版社
长春

图书在版编目（CIP）数据

你若盛开，清风自来/杨承清编著.—长春：北方妇女儿童出版社，2015.1
（悦读时光）
ISBN 978-7-5385-8836-1

Ⅰ.①你… Ⅱ.①杨… Ⅲ.①人生哲学－通俗读物
Ⅳ.①B821-49

中国版本图书馆CIP数据核字（2014）第265066号

出 版 人：刘　刚
策　　划：师晓晖
责任编辑：熊晓君
制　　作：（www.rzbook.com）
开　　本：787mm×1092mm　1/32
印　　张：8
字　　数：160千字
印　　刷：北京佳诚信缘彩印有限公司
版　　次：2015年1月第1版
印　　次：2017年4月第3次印刷

出　　版：北方妇女儿童出版社
发　　行：北方妇女儿童出版社
地　　址：长春市人民大街4646号
邮　编：130021
电　　话：总编办：0431-86037970
发行科：0431-85640624

定　　价：18.00元

前言 Foreword

每个人都希望自己过得快乐，可是当有人问："你快乐吗？"很多人却犹豫了，不知道该怎么回答。

有人说，现在的房价、物价那么高，我整天忙来忙去还不够养家糊口，哪里会感到快乐？有人说，现在的职场竞争那么激烈，我整天小心翼翼，生怕惹怒了老板，哪里会感到快乐？有人说，现在的人际关系那么复杂，我整天如履薄冰，生怕一不小心就说错了话，哪里会感到快乐……确实，在这种情况下，我们怎么快乐得起来呢？

那么，到底是什么让我们不快乐呢？

据研究，对幸福感的缺乏是导致不快乐的主要原因。现实生活中，大多数人错误地认为幸福感需要外界的刺激，而不懂得向自己的内心求助，殊不知，即使是那些住着宽敞的房子、开着昂贵的跑车的人，也常常感叹自己外表看起来光鲜，内心其实苦不堪言。

著名的哈佛大学教授泰勒·本·沙哈尔因为讲授"幸福

课”而成了“哈佛红人”，他曾这样说自己：“我曾30年不快乐。”作为当年哈佛最优秀的学生之一，他曾屡获殊荣，可是这些并没有让他感到快乐。后来，他开始意识到，对于幸福感来说，内在的东西比外在的东西更重要。为此，他进行了积极的研究，并决定做一名教师，把自己的研究心得与大家分享。他认为，人生与做生意一样，有盈利，也有亏损。具体地说，在看待自己的生命时，可以把负面情绪当作支出，把正面情绪当作收入。当正面情绪多于负面情绪时，我们在幸福感上就盈利了。长期的抑郁，可以被看成是一种“情感破产”。如果焦虑和压力的问题越来越多，我们就只会走向幸福的“大萧条”。

所以，一个人要想获得快乐就必须摒弃内心中的负面情绪，做一个内心充实、正直善良的人，做一个心胸宽广、充满爱心的人，做一个心态阳光、积极乐观的人，那些不知道满足、不懂得施舍、不知道如何给自己减压、总是将自己与别人进行不恰当的比较的人只会生活在阴霾中。

翻开本书，让我们的心灵像花儿一样盛开，那么幸福也自然就会像清风一样吹来，让我们彻底摆脱烦恼的纠缠，开启幸福的人生之旅。

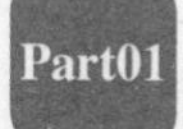

让心灵像花儿一样快乐地盛开 / 1

放开情绪枷锁，别让不开心绑架了你 / 61

Part 01

让心灵像花儿一样快乐地盛开

在心底盛开一朵乐观豁达的花，你会看到整个世界都是那么的美好，一切烦忧都随之东流，一切的一切只因乐观豁达而美好。

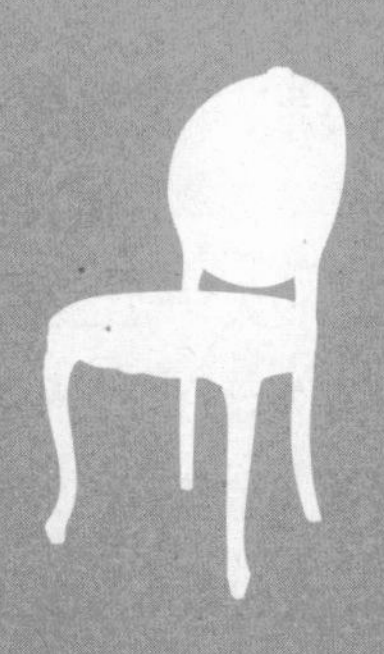

01 ▸▸

给心灵做个透视，看看什么让你不快乐

有人认为，不快乐是因为口袋里没有“银子”；也有人认为不快乐是因为在社会上没有“位子”；还有人认为不快乐是因为没有房子和车子……那么，究竟是什么让你不快乐呢？让我们找到不快乐的根源，活得开心一点。

很多人总是不高兴的时候多，开心的时候少。钱不够花的时候，觉得有钱后就会快乐，可是，当钱多了的时候，烦恼也并没有少；当困难挡在面前的时候，觉得要是生活没有了困难，那是最幸福的事，可是，当面前是一马平川的大道时，新的烦恼又来了……不快乐似乎紧紧地跟随着自己，那么，究竟是什么影响了我们的心情呢？

有一个富翁虽然家财万贯，可总是快乐的时候少，不快乐的时候多。他想，自己富甲天下，一定能买到快乐。于是他决定带着金银，到远处寻求快乐。一天，他走在一条山道上，背上的金银压得他劳累不堪、痛苦万分。这时，他看见一个樵夫，于是他就走上前说：“我是个富翁，虽然有钱，可总是痛苦多快乐少。你看，这道路又窄，我身上背的东西又多，很不开心啊！”

樵夫放下木柴，揩着汗水说：“快乐很难得到吗？放下就是快乐呀！”富翁听了，觉得自己背上的金银实在是太重了，于是就将金银放了下来。当富翁直起腰的时候，路边的美景也尽收眼底，他一下子觉得自己轻松了很多，心里舒坦极了。

富翁顿悟自己不开心，是因为怕被人抢、被人陷害，所以整日忧心忡忡，快乐也就无从谈起。于是，从此后他用钱财接济穷人，专做善事。这样一来，他很快就感到了快乐。可见，人生的很多不开心，是因为不知道放下。

人生在世，不如意十之八九。常常有人想不开、放不下，将挫折、痛苦、哀伤、恐惧和忧虑压在心头；有人更是一味偏执，结果越陷越深，不能自拔，最后钻进了死胡同。放不下，就是自己和自己过不去，这样的人不会快乐。那么，有没有转换心境、快乐自己的方法呢？有，那就是换个角度思考问题。有位哲人曾说：“人生的很多烦恼，是随着我们思维方式的不同而产生的。”所以，尝试换种想法，你的人生就会少去很多烦恼。

一个天使想用自己的神力给不开心的人带来快乐。

一天，他遇见一个牧童。牧童的样子看起来非常不开心，他向天使诉说：“我的牛丢了，父母会责骂我的。”于是天使帮牧童找到了牛。最后，牧童高高兴兴地牵着牛走了。

又有一天，他遇见一个女子。女子非常沮丧，她向天使诉说：“我的钱都被人偷光了，没有回家的路费。”于是天使送给她路费。最后，女子开开心心地回家了。

这天，他遇见一个作家。天使问他：“你快乐吗？我能帮你吗？”作家对天使说：“我不快乐，你能够给我快乐吗？”天使有些为难，因为作家不仅年轻、富有、帅气，而且有才华，他的妻子也非常美貌，看起来他什么都不缺。

最后，天使想了想，说：“我明白了。”于是，天使拿走了作家的才华，毁去了作家的容貌，夺去了作家的财产，带走了作家的妻子，天使做完这些事后，就一声不响地离去了。

十天后，天使再回到作家的身边，看见作家衣衫褴褛地在地上挣扎，已经饿得奄奄一息了。于是，天使把作家的一切还给了他。

半个月后，天使又去看作家，问他：“现在，你快乐了吗？”

这时，作家搂着妻子，笑着回答：“我很快乐，很快乐，谢谢天使。”由此可见，人生的很多烦恼，往往是因为忽略了自己所拥有的东西。

人们常常认为，明天快乐就会到来，可是，每次环顾四周的时候，都觉得快乐依旧没有来。其实，快乐就在当下，就在你的每一天，甚至每一刻里。很多时候，我们身处快乐之中却意识不到，还满怀期待地到处寻找。直到某一天，才惊讶地发现，原本快乐就在自己的眼前，只是自己从来没有珍惜过罢了。所以，不懂得放下，不懂得珍惜当下，不知道转变看法……这些都是不快乐的根源。快乐是一种感觉，只要你想快乐，就没有什么可以让你不快乐。当我们不开心时，不要归罪于贫穷，也不要归罪于卑微，更不要归罪于生活中的种种遭遇，错误的心态和行为方式才是我们不快乐的根源。要想获得快乐，就要不断修正自己的心态和行为，这样，不论你是贫穷还是富有，都会感到快乐。

快乐就像毛毛雨，只要伸手就能接住

只要你用心去寻找，就会发现：快乐其实很简单。一句问候，一抹微笑，一个眼神都会让你感觉到快乐。当我们苦恼的时候，要相信快乐其实很简单，要学会寻找快乐，而不是任凭坏心情折磨自己。快乐就像毛毛雨，只要伸手就能接住，它就在我们身边。

每个人都有自己的快乐：牙牙学语的小孩，一个小小的棒棒糖就会让他快乐；认真学习的学生，老师的一句表扬就会让他快乐；热恋中的男女，一个会心的微笑就会让他们快乐；多年相知的朋友，一个关心的电话就会让他快乐……

快乐可以藏于一首诗词、一幅画、一本书，可以隐于一盏淡酒、一杯清茶、一叶轻舟中，它就像个调皮的小精灵，当你刻意捕捉它时，常常是芳踪难觅，可当你停下匆忙的脚步时，它就会落在你的身上。

看看，快乐是多么简单呀。为什么要让自己不开心呢？也许只要稍做改变，你就能得到快乐。

乔治夫人是华尔街一家银行的雇员，负责银行的对外工作。

她的办公桌就放在银行大门入口处的右边。乔治夫人看起来是一个非常快乐的人，因为她每天都面带微笑，耐心地解答顾客提出的各种问题。

乔治夫人的办公桌上放着一个镜框，里面有一段名为《一个微笑》的箴言，它是这样写的：

一个微笑不费分文，但给予甚多，它能使获得者变得富有，却并不使给予者变穷。一个微笑只发生在瞬间，但有时对它的记忆却是永远。世界上没有一个人富有和强悍得不需要微笑，世界上也没有一个人贫穷得连微笑都没有。一个微笑能给家庭带来欢乐，也能在同事中传递善意。它为疲倦者带来活力，为沮丧者带来振奋，为悲哀者带来阳光，它是大自然中去除烦恼的灵丹妙药。然而，它却买不到、求不得、借不了、偷不去。因为在被赠予之前，它对任何人都毫无价值可言。有人已疲惫得无法给你一个微笑，请你将微笑赠予他们吧，因为没有一个人比无法给予别人微笑的人更需要一个微笑了。

乔治夫人的一个同事这样说道：“从乔治夫人那里，我学会了微笑的技巧，也找到了属于自己的快乐。它改变了我的人生，我现在不但自己快乐，也给别人带来了快乐。”

怎样才能让自己变成一个快乐的人，并不是一门高深复杂的学问。在乔治夫人看来，快乐很简单——只要学会微笑，就能获得快乐。保持微笑，是一种最美丽的生活姿态，它会让你忘记所有曾经的和正在发生的不愉快，乐观地对待你周围的一切。那么，就请学会快乐地微笑吧，对山笑、对水笑、对天笑、对地

笑、对黎明笑、对黑暗笑、对成功笑、对失败笑……你就会永远生活在快乐中。

在美国经济最萧条的时候，保罗失业了，他情绪低落，可能除了拥有一份好工作外，再也没有什么能让保罗开心的了。

一个晴朗的下午，太太琼斯还有女儿茱莉亚邀请他一起出去散步。

茱莉亚对情绪沮丧的保罗说："爸爸，我们步调一致好吗?来，一二一……"

于是，他们三个人挺胸抬头、步履轻快地沿着马路走起来。

"抬头挺胸走路真有趣！"保罗说。

他们走了约一英里的路，三个人都觉得全身舒畅，充满活力。当他们走过莱特大厦和古根汉姆博物馆时，茱莉亚说："爸爸，看，多美啊！"

这儿是保罗以前上班必经的地方，之前，他都是赶时间上班，从没想过这些建筑物有多特别，听茱莉亚一说，他便抬起了头。这时，保罗笑了，他突然理解了伟大的建筑师莱特注入这个建筑中的深意。

不知道为什么，保罗第一次觉得开始喜欢上它了，而这可能是当时他发自内心的感受。建筑物高高的尖顶直入云霄，保罗从中感觉到一种振奋，他忘记了失业的苦闷，心中洋溢着快乐。

后来，保罗又回到了原来的地方上班，每次路过莱特大厦和古根汉姆博物馆时，只要一抬头，他就能感觉到快乐。因此保罗常说："快乐很简单，就是一抬头的事。"

看看，快乐是件多么简单的事呀！的确，人生的很多趣味就藏在生活的细微处。你偶尔经过的街道、随处可见的树木等都可能蕴含着情趣，让你可以从中得到快乐。快乐如此简单，为什么不选择快乐呢？生活中，让人们感到快乐的事情其实有很多，那些抱怨自己为寻找快乐而劳累不堪的人，不是没有真正地找到快乐，而是快乐太简单了，以至于他们意识不到快乐的存在，也就不懂得珍惜。

一个商人在一条山道上常会遇到一个樵夫，每次遇到樵夫，都看到他的脸上挂满了微笑。

有一次，商人终于按捺不住好奇心，走到樵夫面前问："老伙计，你穷得叮当响，为什么却那么快乐呢？我非常富有，却很少有开心的时候。难道你家有价值连城的宝贝吗？"

听到商人的话，樵夫哈哈一笑说："我哪有什么无价之宝呀？我倒想问问你，你那么富有，为什么整天愁眉不展呢？"

商人沮丧地说："我有什么快乐可言呢？我虽然妻妾成群，但她们整天只会争风吃醋吵个不停，没有一个人关心我；我年过半百还没有子嗣，因此我时常感觉很孤独。虽有家财万贯，却觉得自己还是一无所有，我活得不开心。"

樵夫道："我没有你有钱，但我很快乐，因为我的家人都是我的靠山。"

商人问道："你的妻子一定贤良淑德。"

"不，不，我还没有结婚呢。"樵夫回答说。

"那你一定有个你喜欢的女孩。"商人肯定地说。

“嗯，的确有个女孩给我带来了快乐，她给了我一件让我开心的‘宝物’。”樵夫说。

“是吗？”商人好奇地追问，“是定情信物还是……”

“那个女孩很漂亮，是跟我一个村子里的一位富人的千金，我从来没有和她说过话，我很喜欢她，但我知道我配不上她。后来她离开了村子，离开前她向我投来了含情脉脉的一瞥，这就是让我开心的‘宝物’！”樵夫快乐地说。

商人简直不敢相信樵夫的话，眼前这个人竟然是因为姑娘的一瞥而快乐成这个样子。他问樵夫：“难道这一点就能让你满足吗？”

樵夫点点头，说：“对我来说，惦记就是快乐，为什么一定要拥有呢？”

一位名人说：“人生最大的快乐不在于占有，而在于追求的过程。”樵夫就是一个懂得如何获得快乐的人。试想，如果樵夫看见自己心仪的女孩走后，整日里沉溺在相思中，他岂不是会比商人更难过。

快乐真的很简单，只要你静静地感受，快乐就在你身边，关键看你能不能发现，懂不懂得体会。你可以让自己置身阳光下，就算寒风凛冽，你也能感受到温暖的抚慰；你可以到海边吹吹海风，就算风里夹着腥味，你也能感受到大海的磅礴；你可以坐在书桌前写自己喜欢的文字，就算文笔不优美，也能享受到创作的喜悦……用如水的心境和置身世外的心情，感受世间的点点惊喜、点点快乐……

很多时候，快乐就在距离我们很近的地方，甚至可以说是伸手可得，比如：给阳台上的花松松土、浇浇水，闻一闻它们的香味儿，很快乐；躺在沙发上晒着温暖的阳光，让自己的思绪随意飘荡，很快乐；到茶馆里品味一壶醇香的新茶，听着轻柔婉转的旋律，很快乐；煮一锅鲜香的排骨汤，耐心地等候家人回来一起品尝，很快乐。然而，倘若你只看到别人拥有的而看不到自己拥有的，那么你就会对环绕在自己身边的快乐视而不见，这样你不仅整天会想着那些令人不愉快的事，而且会制造出一件又一件让自己郁闷的事。

快乐、痛苦是两条路，就看你选择哪一条

有人认为，拥有较高的收入是快乐，拥有名车、别墅是快乐，在这些人的眼里，因为“拥有”才会“快乐”。诚然，拥有较高的收入、名车和别墅等确实能让人快乐，但也有虽然拥有丰厚的物质但仍不快乐的人，因为真正的快乐不是“拥有”，而是“选择”的结果，每个人都可以选择快乐的“频道”。

不知从什么时候开始，许多人将“郁闷”这个词时时挂在嘴边，抱怨工作忙，抱怨生活累，抱怨上司严，抱怨丈夫懒，抱怨孩子笨，抱怨收入少，抱怨自己付出的比别人多，抱怨自己得到的比别人少……似乎每时每刻，每件事情都可以找出不快乐的理由来。有人说，痛苦是上帝给你的惩罚，快乐是上帝对你的嘉奖。有人认为，人生的苦与乐都是天定的，自己无法左右。但台湾心灵大师张德芬说：“痛苦是自己选的，快乐是自己给的。”在张德芬看来，无论苦与乐，都没有那么神秘，一切都是自己选择的结果。

有人问禅师：“信徒能从佛教中找到属于自己的快乐，那些不信佛的人能从生活中找到快乐吗？”

禅师说：“快乐无处不在，就看你会不会选择。”

提问者不解：“生活中有那么多快乐吗？”

禅师指了指身前的一盆花说：“这上面就有你要的快乐。”

提问者一脸茫然地问道：“有吗？”

禅师说：“有呀，你到花市去，选择一盆你第一眼就喜欢的花，把它带回家，放在一个你每天都能看到的位置。你就可以开始练习照料你的花儿了。你要有意识地关爱它，就像爱你的孩子一样。你要学会和你的花儿培养感情，经常跟它说话，告诉它你多么爱它——你要相信，它总是很认真地聆听着你的心事。你一定能够体会到自己付出纯真的爱意时内心和谐的感觉——那是多么美妙的感觉啊！你完全忘却了焦躁不安、愤懑和匆忙时的尴尬。你尽情欣赏你可爱的鲜花时，你就能融入爱的氛围，你的身心就会融入轻松愉悦之中。”

快乐到底是谁决定的？它又是由谁来控制的呢？其实，快乐就在我们自己手中，那个真正操控快乐的人，就是我们自己。我们怎么对待生活，怎么对待生活中的困难，便决定了我们会有什么样的快乐。选择自己的快乐，就是禅师的快乐之道。有人说：“我才是命运的主人，我决定着自己的快乐！”是的，只有调整好自己的心态，去发现生活的新奇与美好，才会发现，原来，简简单单地活着，就是一种快乐。

一天，悟德禅师正在给花圃除草，这时，从门口路过一位信徒向他施礼，说道：“大师说佛教能够解除人生的痛苦，可我信

佛多年，觉得痛苦依旧，这是怎么回事呢？”

悟德禅师放下锄头，问道：“你现在都忙些什么？”

这位信徒说：“我整天都在打理我那糟糕的生意，它让我日夜操劳、心力交瘁。”悟德禅师笑道：“怪不得你得不到快乐，原来你的生活已经被应酬和金钱塞满了，哪里还容得下快乐呢！”难道不是吗？信徒选择了生意，就注定会烦恼。如果他放下这些让他痛苦的事，他还会不快乐吗？所以，当我们不够快乐时，不是生活给予了我们太多的沮丧，而是我们自己抓着沮丧不放手，不善于用快乐的微笑来冲淡苦味儿。很多时候，人生快乐与否，完全由自己调控。如果我们想的都是乐观积极的事情，我们的内心就能充满快乐；如果我们想的都是悲伤的事情，我们的内心就会充满悲伤，是我们自己的选择决定着我们的情绪。快乐与贫穷或者富有、地位高或者低没有关系。

人生的快乐与不快乐，完全由自己掌控。所有的事、所有的景，不是决定你情绪的关键。快乐是自己的事情，学会把“我是痛苦的主人”演绎成“我是快乐的主宰”，学会在一无所有时不因物质的匮乏而忘记快乐，在富足时不因琐事累心而丧失快乐。只要愿意，你随时可以拿起手中的“遥控器”，将心灵的状态选择到快乐的频道。

不做坏情绪的奴隶，就在快乐中生活

有一句话是这样说的："给人带来苦恼的是人自己对事物的看法，而并非事物本身。"有时候，我们口中所说的烦恼，不一定真的就是烦恼，它可能只是我们自己的一种感受。

很多人在遇到事情的时候总是往坏处想，结果越想越对生活感到悲观、感到失望。还没起床，就担心上班会迟到；上司交代的任务，还没开始做，就害怕做不好；还没下班，就开始想路上会不会堵车……这些不一定会出现的烦恼，都是你强加给自己的，并且在自己的心灵放大镜下越变越大。事实上，凡事都往好处想，用积极的心态战胜悲观，阳光才会洒满整个心房，快乐也会随之而来。

在一个小乡村，有一对老夫妇，虽然他们的日子过得不富裕，但是，村里人都说他们是最快乐的人。有一天，老夫妇想把家中的马拉到市场上去，看看能不能换点更需要的东西。对他们来说，这匹马可是他们最值钱的东西了。于是，老头子牵着马去赶集了。在集市上，老头子先用马换了一头母牛，接着又用母牛换了一只羊，再用羊换来一只肥鹅，又把鹅换成了母鸡，最后，

换来换去，老头子的手里竟然只剩了一袋烂苹果。

在回家的路上，老头子遇到了两个人。他们听完老头子的遭遇后都哈哈大笑，说他回去后准会被他的老婆臭骂一顿。但是，老头子说他的老婆绝对不会骂他。

这两个人不信，就用一袋金币打赌，于是三个人一起来到了老头子家中。

老婆子见老头子回来了，非常高兴，她饶有兴趣地听着老头子讲赶集的经过。每听老头子讲到用一种东西换了另一种东西时，她都对老头子充满了赞赏。她嘴里不时地说着："太好了，我们还有牛奶喝！""羊奶也很不错。""太好了，鹅毛真漂亮！""很好，我们有鸡蛋吃了！"

当听到老头子最后只换回一袋已经开始腐烂的苹果时，老婆子不仅没有生气，还大声说："今晚我们就可以吃到苹果馅饼了！"看到老婆子如此开心，老头子也高兴极了。

结果，那两个人输掉了一袋金币。

这对老夫妇之所以过得快乐，主要是因为对生活没有太多的计较，凡事能往好处想，这样他们就紧紧地抓住了快乐。所以，当我们"无"的时候，不妨想想"有"，人生的快乐，往往就是看到拥有的而忽视缺少的。

一个人要是没有乐观的心态，凡事总往坏处想，就会和快乐无缘。凡事往好处想，心情就会不一样。当你因悲观而感到焦虑时，不妨去想象一旦成功后的景象，你将很快地化解焦虑与不安。如果你在内心把事情的结果都想象得很坏，那你就会沉溺在痛苦之中不能自拔。

生活中，有很多人会给自己一些假设：我这个月的业绩是不是最差的；老板会不会开除我；下个月我还得起房贷吗……过度的担心只会让你的心灵更加沉重不堪，从而使原本美好的生活偏离正常的轨道。

刘娟在一家合资公司担任公关部经理，最近一段时间变得异常焦虑。原来，公司精减人员，人事部正在制订裁员方案，因此在刘娟的脑海里，整天都是自己下岗后落魄的样子。她对丈夫说："我在这家公司工作六年了，从最初的小职员到现在的公关部经理，我付出了很多努力。可是，现在公司遭遇了危机，决定裁员。我真的很害怕自己被裁掉，我已经37岁了，如果被裁掉的话还得重新找工作，金融危机下工作肯定不好找，就算找到了，我又怎么和那些朝气蓬勃的年轻人竞争呢？"

这样没日没夜地想着最坏的结果，刘娟的精神状态越来越差，工作也经常出现纰漏，以至于耽误了公司一些很重要的会议，后来，本来不在被裁之列的她，真的被裁掉了。我们很多人都会遭遇到公司裁员，那么，你是不是也和刘娟一样，总是往坏处想呢？告诉你，在事情没有发生之前，不如认认真真地做好自己的本职工作，安安心心地过好每一天，这才是正道。

一天，一位农夫赶着马车过桥时，不小心连人带车都掉进了深水中。众人正在惊慌之时，突然看见农夫从水里冒了出来。大家忙伸手将他拉了上来。上岸后，农夫竟然没有后怕，反而哈哈大笑着说："太好啦，太好啦。"大家惊奇不已，以为他给吓傻

了。“掉进河里，车毁了，马也没了，连你都差点没命了，你还觉得高兴，你没事吧？”有人好奇地问他。

“高兴，当然高兴！”农夫停住大笑，说，“从这样高的桥上掉到河里，我不仅没有淹死，而且还毫发无伤地活着，难道不值得高兴吗？”

是呀，世上没有比活着更值得庆幸的事情了。只有明白这个道理，你的人生才会充满欢乐。因为你能看透生活的实质，能找到快乐的源头，所以，你是快乐的。卡耐基说过：“如果我们有快乐的思想，我们就会快乐；如果我们有凄惨的思想，我们就会凄惨；如果我们有害怕的思想，我们就会害怕；如果我们有不健康的思想，我们就会生病。”当你一味地去想最糟糕的结果，你自然不会开心快乐。但是如果你给自己的心灵换上新鲜空气，让你的大脑运转在美好的事物上，那么，快乐就不会离开你。

我们不要去“想象烦恼”。如果我们能用一种快乐的方式来思考，那么它就是另一种情形了。老子说：“祸兮，福之所倚；福兮，祸之所伏。”也就是说，在你看来烦心的事，也许是好运的开始。所以，世上那些不够美好的、经常让我们不快乐的事物，本身并没有什么错，它丑陋的形象和灰暗的色泽都是我们赋予的。那么我们是不是可以说，那些搅扰我们心境的烦恼事，如果能换一种调色板，调配出一种亮丽鲜艳的色调，人生也许就会在瞬间变得鲜活。快乐来源于乐观的心态，这就是我们远离烦忧的秘诀。

看开、想开，心开了，人就开心了

我们总希望自己的人生万事如意，然而困难、不幸总是会出现。对于这些，如果我们总是耿耿于怀，那么我们的生活必将充满苦涩。一个人，只有对生活的种种遭遇看得开，才会开心。

刚买的新车被撞坏，一个月的工资被弄丢，第一次投资就惨遭失败，金融危机时被公司辞退，刚买股票就碰上大跌……当面对这一连串的损失时，你会一味地痛哭流涕吗？聪明的人绝不会这么做。因为他们知道，已经失去了那么多的金钱，不能让自己失去更多了，尤其是好心情。

当全球金融风暴向我们袭来的时候，很多人并没有因为诸多损失整天愁眉苦脸，而是积极地调整自己的心态，不让自己陷在伤心的旋涡中无法自拔。

“虽然金融危机中有很多风险，但同时也有很多机会。如果因为赔掉钱而一味地懊悔的话，是不会有精力去发现危机中的转机的，就算是再好的机会来到你面前，你也会与它失之交臂。所以不要为打翻的牛奶哭泣，我们应该学会乐观处事，这样才有可

能将输掉的再赢回来。”巴菲特如是说。

“现在中国的一些高风险行业也已经受到了影响，本人所在的行业也未能幸免。这一切都还只是个开始，不知道后面会有什么样的结果。但如果后面的结果比现在更糟的话，那为什么不好好地把握当下？如果后面的结果会比现在好的话，那还有什么好伤心的呢？要知道一切都会好起来的。纵然工资、福利各方面都不能和以前相比，但输什么都不能输了好心情。”史玉柱如是说。

“受金融危机影响，股市也一直低迷，我现在每周只看一次股指，不看盘，心情反而好了很多。心态很重要，日子好不好过完全在于你选择怎样的方式去对待，还有就是选择一个什么样的心情。天天盯着那些基本上已经‘打了水漂’的钱也没用，如果已经赔上了金钱，千万别再赔上自己的心情，划不来。”马云如是说。

“金融危机时，公司经济不景气，我和我的两个好朋友利用空闲时间在夜市上摆了一个小摊位，这样不仅可以增加收入，缓解一下困难，还能让自己的心情得到适当的转换，好心情加‘外快’，岂不是一举两得？”做外贸工作的马小姐如是说。

除了钱，我们每个人还拥有很多的财富：健康的身体、和睦的家庭、竞争的能力、知心的朋友、美丽的心情……如果我们已经损失了金钱就不要再让其他的东西消失。与其花时间去哀叹、惋惜，不如养精蓄锐，寻找机会，成倍地赚回赔掉的钱。这个时候的你一定要学会调整自己的心态，以一颗平和的心去面对一切，尽量不要去想那些赔掉的钱。试着用转移注意力的方法让自己忘掉不幸。听音乐、看小笑话、约朋友出去钓鱼等，这些都能够帮助你缓解不良情绪。

在大征兵中，美国加州有位大学刚毕业的年轻人被选中，即将到最艰苦、最危险的海军陆战队去服役。

自从知道自己会在海军陆战队服役的消息后，这位年轻人便忧心忡忡、心神不宁。他的祖父见他整天一副魂不守舍的样子，便对他说："孩子呀，这有什么好担心的。即使你到了海军陆战队，你还有两种可能，要么留在内勤处，要么被派送到外勤部门。你要是分到了内勤处，就完全用不着担心受苦受累了。"

年轻人沮丧地说："那要是我不幸被派到了外勤部门呢？"

祖父说："那你同样会有两种可能，要么留在美国，要么被派送到国外的某个军事基地。如果你留在了美国，那又有什么好怕的呢？"

年轻人问："那么，要是被派送到国外的基地呢？"

祖父说："那也还有两种可能，要么被派送到和平地区，要么被派送到爆发战争的地区。如果把你派送到和平的国家，那也没有什么可怕的呀！"

年轻人又问："那我要是不幸被派送到爆发战争的地区呢？"

祖父说："你同样也会有两种可能，要么是留在总部，要么是被派到前线去参加战争。如果你被派送到总部，你同样不用担心。"

"那么，若是我不幸被派往前线作战呢？"年轻人问。

祖父说："那同样还有两种可能，要么是安全归来，要么是

不幸负伤。如果你能够安全回来，现在的担心岂不是多余的？”

“那要是不幸负伤了呢？”年轻人接着问。

祖父说：“这也有两种可能，要么是负点轻伤，没有任何生命危险；要么是身受重伤，危及生命安全。如果只是负了点于生命并无大碍的轻伤，那又何必过分担心呢？”

年轻人又问：“那要是不幸负重伤了呢？”

祖父说：“你同样有两种可能，要么是依然能够保全生命，要么是完全治疗无效。如果你能保全性命，那还担心它干什么？”

年轻人再问：“那要是自己活不过来怎么办呢？”

祖父听后哈哈大笑着说：“如果你人都死了，你就什么都不要担心了！再说，那么多可能，你怎么知道你得到的就是最糟糕的一种呢？”

每个人的一生都会遇到各种各样的不幸。亲人的离去、疾病的缠绕、贫穷的折磨、朋友的背叛……但是这些都不至于把你逼上绝境。天有不测风云，人有旦夕祸福。既然不幸已经发生，我们又没有办法改变既定的事实，那么我们就不妨坦然地接受，这样，你才会快乐。

一天，一个男人下班后坐摩托车回家。不料半路摩托车遭遇了车祸，男人因此失去了一条腿。朋友们来看望他，都为他失去了一条腿而难过，男人却安慰大家说：

“当我醒后得知自己失去了一条腿时，我心里想，完了，以后该怎么办？我很后悔那天选择坐摩托车，不过后来我安慰自己道：‘既然已成事实，再后悔也没用，还好只是失去了一条腿，而不是整个生命。’想到这里，我的心情就不再那么沉重了。”

后来，因为少了一条腿，男人无法再胜任原来的工作，不久后便接到了下岗通知书。

朋友们知道后，准备了一大堆安慰他的话，结果这次又让朋友们很是意外，见面时男人乐呵呵的，一点儿也不像失业的人。

“你不难过吗？那可是下岗通知书啊！”一个朋友问。

“既然下岗已成事实，我与其难过，还不如想幸好只是失去了工作，我并没有失去再创业的勇气。所以，我没有理由难过！”男人说。

再后来，男人的妻子跟男人过不下去了，带着家中所有值钱的东西走了。

朋友们知道后，都为他担心，以为男人经过这次打击，肯定会消沉，便都赶过来看望他。当朋友们敲开男人家的门时，男人一脸的平静。

“你是不是疯了？妻子走了，你一点也不难过吗？”朋友们冲他喊道。“她走了，只能说明她并不是真心爱我。我失去一个不爱我的人，有什么理由难过？”男人说。

生活中难免有失意的时候，凡事想不开，只会给自己带来痛苦；凡事想开了，或常往好处想，就会在软弱时变得坚强，在颓废时变得振作，在痛苦时变得愉快，在忧郁时变得开朗……也许当你真的没有希望的时候，另一个希望正在悄悄地向你走来。看开些，车到山前必有路，船到桥头自然直。以一颗乐观、豁达、平常的心面对生活，这样，人生就会拥有更多的快乐。

生气与危险只有一个英文字母之差

每个人都希望得到他人的尊重和喜欢，但有时又难免会遭到嘲笑和侮辱。生活在给予我们快乐的同时，也给了我们很多悲伤与遗憾。其实，好多事情不值得我们生气，我们要学会掌握自己的情绪，这样我们的生活才会充满阳光，而有阳光照射的心房是不会长出杂草的。

生气会坏事。因为怒气就像炸弹一样，是有爆炸力的。和谐的生活就像一面镜子，如果你向镜子中投一块石头，那种“哗啦”声是极其刺耳的，有时候简直让人难以容忍。英文中生气是anger，危险是danger。生气与危险只有一个字母之差，若一味沉浸在气愤中，就是站在痛苦的边缘了，稍有不慎就会坠入痛苦的深渊。一个人活着，要知道自己想要什么，活得潇潇洒洒、坦坦荡荡，才能过上一种自信、快乐的生活，而想要过上这样的生活，就必须学会不生气。

在生活中，我们常常会看到这样一些人，他们往往会因一时之气，说出这样的话：

“这个气我受不了，我不干了！”

“这个破工作，我不干了！”

“这事不公平，我不干了。”

可是，一句“我不干了”并不能挽回你受到的损失，也不能换回他人对你的尊敬，所以，碰到不顺心的事的时候，要把那些倔气、脾气和傲气都收敛起来，这样，你才会心平气和。

儿子狠狠地对父亲说：“天天加班不加薪，我要离开这家破公司，我恨这个公司！”

父亲听后建议道：“我举双手赞成！不过，你现在离开，还不是最好的时机。”

“为什么？”儿子很不解。

父亲说：“你应该趁着在公司的机会，多为自己拉一些客户，当自己拥有大批客户的时候，你就带着这些客户突然离开公司，这样，公司就会受到损失。”

儿子觉得父亲说得非常有理，于是开始努力工作，半年后，他有了许多客户。

这时，父亲对儿子说：“现在是时机了，你可以离开你的公司了。”

儿子淡淡地道：“不用了，老总和我谈过，准备让我做总经理，我不离开了。”

生气是不满的一种发泄方式，但是这种方式只会害人害己。生活中不如意的事十有八九，我们常常被一些令人气愤的事所困扰，所以“气死我了”成了好多人的口头禅，但是你有没有想过，生气除了给自己增添烦恼，影响自己的心情外，又有什么好

处呢？

有些人非常喜欢生气。在上班的公交车上被人踩了一脚，很生气；去餐馆吃饭，等了很久还没上菜，很生气；开车，前面的车开得很慢，很生气……很多人都是这样重复地过着每一天，于是，没有一天是心情舒畅的，生活布满了乌云。喜欢生气的人不但自己的心情常常不好，还会影响周围人的心情。

詹姆士早晨起床后发现上班要迟到了，就急急忙忙地开车往公司赶。为了赶时间，詹姆士超速了，警察将他拦了下来，并给他开了张100美元的罚单。

詹姆士很生气，到了办公室之后，看着桌上还放着昨天就该寄出的信件，他更是生气。他把秘书卡利叫了进来，狠狠地将她骂了一通。

卡利被骂得莫名其妙，她拿着未寄出的信件，来到总机小姐的座位前，责怪总机小姐没有提醒她寄信。

总机小姐觉得很冤枉，心情恶劣至极。这时，她看到公司里职位最低的清洁工没有将昨天的垃圾清理干净，就借题发挥，对清洁工没头没脑地指责了一番。清洁工职位最低，没有人可以再骂，她只得憋着一肚子怨气。

清洁工下班回到家，见到读小学的儿子把衣服、书包、零食等丢得满地都是，便把儿子狠狠地责骂了一顿。

儿子愤愤地回到自己的卧室，见到家里的狗挡了自己的路，一时怒由心中起，狠狠地一脚，把狗给踢得远远的。

狗惨叫着逃出门，一下子撞上一个人，被激怒的狗狠狠地抓了这个人一下。

这个人是谁？他就是詹姆士。詹姆士更加生气了，他觉得整个世界都在跟他作对，就连狗也跟他过不去。

很多时候，为一些小事计较，只会让自己更加生气。其实，惹詹姆士生气的不是狗，而是詹姆士自己。詹姆士觉得整个世界都在跟他作对，他不清楚的是，一旦他生气，他周围的一切都不会让他感到快乐。一个生性乐观的人，能够坦然地面对发生的一切，不轻易为一点小事生气。

很多时候，被人踩了一脚，不妨笑笑就过去了，因为拥挤的时候，你也会踩到别人啊；等了很久菜也没上来，你可以笑着催一下；有的人车开得慢，你从旁边绕过去就行了！生气，是对自己生活质量的一种摧残，它会使人一味地生活在抱怨和苦恼中。仔细想来，生气就是折磨自己，只能徒增自己的痛苦，只会让自己坠落到更惨的深渊中去。因此，要心平气和地面对一切不顺的事，并积极地使自己做得更好，用自己的乐观和智慧化解烦恼。也只有这样，一个人才能积极进步，每一天都过得充实而快乐。

不要让别人制造的麻烦变成你的烦恼

无论你多么愤怒，都不要把别人制造的麻烦变成你的烦恼。想想看，如果因为别人的过错而使你陷入无尽的烦闷与悲伤之中，你就成了受害人，而且你自己还在强化这种伤害的深度和广度。这是多么不值得呀。

闷热的午后，一个农夫心急火燎地划着小船给另外一个村子的人运送货物。

转过一块巨大的礁石，农夫突然发现前方有一只小船顺流而下——眼看就要撞上了，但那只小船依旧没有避让的意思，似乎有意要撞翻自己。

农夫急了，大声地吼道："喂，让开，快点让开，你这个白痴，再不让就要撞上了。"

奇怪的是，那只小船竟然没有一点儿动静。

没办法了，农夫只好手忙脚乱地撑了几竹篙试图让开水道。好在有惊无险，农夫的小船避开了那只小船。

"混蛋！"恼羞成怒的农夫厉声斥责着，"喂，你会不会驾船啊，这么宽的河道，竟然要往我的船上撞。"

奇怪的是，还是没有一点儿动静。

农夫纳闷了，定睛看去，这才吃惊地发现：小船上空无一人。被自己大呼小叫地骂了半天的不过是一只挣脱了绳索而顺水漂流的空船。

多数情况下，当你大声斥责或者怒吼的时候，你的听众是不是也是“一只空船”呢？如果答案是肯定的话，就说明你也是“一介农夫”而已。因为，你的斥责或者怒吼，不会改变人家的“航向”，相反只会增添你的烦恼。

可以说，生活在这个世界上的男女老少，都有着各自不同的烦恼，有的烦恼是可以依靠自己来解决的——或者努力改变自己的状况，或者努力调整自己的心态。但是，相当大一部分烦恼却来自于外界、来自于他人，比如：遇到一个糊涂而失职的领导，我们会埋怨人生不得志；遇到一个忘恩负义的朋友，我们会埋怨自己瞎了眼；遇到一个不讲究卫生的邻居，我们会埋怨自己倒了八辈子霉；遇到一件不公平的事情，我们会埋怨人心不古、世道险恶；遇到一个不够称心如意的伴侣，我们会埋怨当初被表面的美好冲昏了头脑……从而心生怨气，并且愈演愈烈，直至让所谓的外界和他人的过错在我们自己的身上留下深深的印记，然后日复一日地憎恶着、痛恨着、埋怨着、苦恼着、伤心着、咒骂着。

可是，这样有什么用呢？很显然，没有丝毫的用处，并且简直就是拿别人的过错来惩罚自己。反之，如果我们能够用抱怨的时间来经营自己的生活，相信一定可以活得更加惬意。毕竟，人来世上走一遭，不是让我们把宝贵的生命浪费在对别人的埋怨和

痛恨里——如果难以改变别人，那么就尝试着改变自己吧。正所谓：如果我们没有能力改变生活中的阴暗面的话，我们还是不想为好，为什么要让这些苍蝇、臭虫弄得自己恶心呢?

有智者说："不要把别人制造的麻烦转变成自己的烦恼，更不要长时间地陷入这样的烦恼，因为这无疑会加深对自己的伤害。所以，重要的是吸取教训，总结经验，及时做出决断。"不让别人制造的麻烦转变成自己的烦恼，就是珍惜自己的心情和健康，就是给自己更多的快乐和幸福。

在这个充满竞争而且容易浮躁的年代里，让我们多在自己的心田里播撒一些灿烂的阳光吧，这样我们才能够多看到别人的优点，从而少埋怨别人、多充实自己，把更多的时间和精力放在自己喜欢的事情上，开心快乐每一天。

心情郁闷时不妨“穷开心”一下

心理专家说“穷开心”和“假装好心情”是一种短时间内获得快乐情绪的方法。情绪的变化会相应地引起身体的变化，比如强迫自己常常微笑，你就会发现内心真的会变得欢乐，所以有时候不妨“穷开心”一下，说不定你就会真的快乐起来。

高物价、快节奏的生活让每个人都压力不小，于是，人人都在压力中喊着“郁闷”过日子，而当郁闷排山倒海地压过来时，喘不过气的人们开始苦苦寻觅“解脱”的策略，开始“穷开心”“假装好心情”，有人会说：“今天，你抑郁吗？如果有，别忘了告诉自己我很快乐，那么，快乐就真的会马上降临了。”

大家可能不禁要问了：告诉自己快乐，就真的会快乐吗？快乐能佯装吗？佯装的快乐能成为真的快乐吗？是啊，伪装快乐有什么用，摆在眼前的问题并没有因为“穷开心”“假装好心情”而有丝毫的改善，不快乐仍然如影子般紧紧地跟随着自己，怎么办？

其实，不妨仔细思量一下：无论快乐与否，日子总要继续，该面对的事情还是要面对。既然如此，那么，倒不如用一种更为乐观的方式来面对，满怀信心地告诉自己，一切都会过去，一切也都会好起来，这样一来，情况也许会在一种积极的心态的推动下获得转机。

这就是人们常说的“难得糊涂”，假装快乐也是快乐，“穷开心”“假装好心情”还大有“以假乱真”的功效。所以，当不如意出现时，把注意力集中到问题上，不如转移到自己的情绪上，因为改善情绪比解决问题更重要，只有调整好情绪，才有精力去解决问题，不是吗?

有一个贫困的小村庄，位于大山深处，交通不便，只有几十户人家。几十年前，那里家家穷得叮当响，人人穿不暖、吃不饱。每到冬天，大家都会“宅”在家里，饿着肚子，等待春天的到来。

村里有个年轻人，一天，他挨家挨户地找到自己的同龄人说：“到我家去喝酒、吃肉。”

大家很诧异，他家可是村子里最穷的一家，哪里来的酒肉招待大家呢？虽然大家心里充满了疑惑，但这种邀请还是很有诱惑力，于是，一群年轻人跟着他来到他家。大家来到他家一看，原来，所谓的肉就是在碗里放上肉一样的木块，此外还有用鹅卵石充当的鸡蛋，而酒则是用白开水充当。

一群年轻人在失望之余，倒想起了小时候的过家家，于是干脆就坐下来，开始“吃喝”起来。没想到，大家都觉得开心极了，有的还唱起了歌。

村里有人说，这群孩子真是穷开心。但是，从那以后，一整个冬天，年轻人的家都热热闹闹的，他们不再空着肚子蜗居在家里，而是开心得“吃吃喝喝”“唱唱跳跳”。

看看，水当酒，木当肉，“穷开心”也能真开心。其实，生活是一场漫长的旅行，而逆境只是你人生旅途中的一个驿站，只是你偶尔掠过的一道风景。短一些的，停留须臾就会过去；长一点的，如果自己一个人等得实在太寂寞，也可以找人聊聊，实在不行就干脆下车，欣赏一下周边的风景也是好的。也许你会有失落感，但是没关系，佯装快乐继续前进吧，你会发现，这些坏情绪其实很快就会成为过去。

一个人曾经经历过无数次打击：儿子出车祸瘫痪，妻子患重病住院，他本人遭遇下岗，后来又受了工伤……如此倒霉的一个人，人们都以为他可能会丧失生活的信心，可是出乎意料的是，他几乎每天都是笑呵呵的，活得很快乐。

人们都很纳闷，问他为什么能保持这么乐观的心态，他说：“其实，儿子出车祸时，我的心也痛，但我知道，再难过，也得面对现实，如果我因为难过而垮了，谁来照顾瘫痪的儿子呢？难过不能解决任何问题，所以我只能假装快乐，我的儿子看到我乐观的样子，他痛苦的内心也就慢慢平静下来了，我们也就真的不再悲痛欲绝了。”

“妻子患重病住院时，我心里也很难过，但我还是告诉自己，我必须快乐起来，因为我的快乐会给予妻子更多康复的信心；遭遇下岗时，我也曾经万念俱灰，但我又想，下岗后，也许还可以再换一份更适合我的工作，于是我一边假装快乐，一边找

工作，别说，后来还真的找到了一份很不错的工作；工作时负了伤，我告诉自己，既然摊上了，就面对吧，正好还可以趁这个机会好好休息休息。”

“就这样，我一直在佯装快乐，可是后来我发现，佯装快乐也是可以让人感到快乐的，它们一次又一次地伴随我度过了很多难关。”

可见，坏情绪可以改变，好心情也可以“佯装”。只要你不失去信心，常常激励自己，你就能将好情绪留在身边，坏情绪自然也就不再来搅扰你了。你可以试一试：早上醒来的时候，第一件事就是拿起镜子对着里面的自己微笑，并在心里告诉自己，今天又将是美好的一天，于是美好的一天便在微笑中开始了。这是调节情绪最行之有效的方法之一。

我们常说“快乐是一天，痛苦也是一天”，当困境对我们的身心进行攻击的时候，我们何必还要折磨自己、往自己的伤口上撒盐呢？其实，能够让自己获得快乐的心情是一种能力，一个能让自己在不快乐时依然保持微笑的人，是生活的智者。很多人都喜欢阿庆嫂，却很少有人喜欢祥林嫂，这就是因为，生活需要一种阳光的心态。生活不可能永远波澜不惊，不如意事常会出现，只要我们懂得让失落成为过去，调整自己的心情，就会让自己快乐如初。只要你能养成快乐的习惯，你就会成为幸福生活的主宰。快乐像阳光，能够照亮心灵、温暖身体。所以，亲爱的朋友，请你尽量快乐地生活吧，如果生活真的给了你太多的不快乐，那就不妨“穷开心”“假装好心情”吧！

情绪是个多面体，转一下就是快乐

当生活不尽如人意时，不妨换一个角度看，痛苦的旋律中也能演奏出快乐的音符。其实，那些能用快乐的姿态诠释人生的人们，并不是命运青睐他们，而是他们懂得如何面对困境、如何从困境中解脱，并积极地苦中求乐。真正的快乐，需要随时梳理好自己的情绪，调整好自己的心态，改变自己看问题的角度。

人活在这个世界上，许多烦恼与痛苦是我们无法逃避的，但一味地沉浸在痛苦里，那就是自寻烦恼了。任何事情都有它的两面性，有好的一面，也有坏的一面。生活中，如果用一种积极、乐观的心态去面对问题，相信事情的结果会好很多。时刻保持好的心情去面对周围发生的事情，才能发现生活的美妙之处。

一个闷热的夏天，牧师在一个大教堂里布道，由于闷热的原因，许多教徒开始变得昏昏欲睡。可是，有一位绅士看上去却精神抖擞。他腰背挺直，聚精会神地坐在那里听着牧师讲道。

布道结束以后，绅士显得很开心，有人问这位绅士："先生，我们都在打瞌睡，你为什么能听得那么认真呢？而且还那么

开心，看来你受益匪浅。”

绅士微笑着说：“哪里呀，说实话，听这样的讲道，我也很想睡觉。可我的想法是，我何不用它来测试一下自己的耐性呢？现在看来，我的耐性很好。我想，以这种耐心去面对工作中的各种困难，任何问题都能得到解决。我因此很开心。”

这位绅士就是英国首相格莱斯顿。

一位哲学家曾经说过：“一个人快乐与否，在于他看问题的角度，如果他站在忧郁的角度，就总能看到让自己忧郁的理由；如果他站在快乐的角度，也总能看到让自己快乐的理由。”所以，每当我们遇到烦心事时，都应该换一个角度去感受快乐。

宋代诗人赵师秀描写梅雨时节时，说：“黄梅时节家家雨。”宋代诗人曾几描写梅雨时节时，说：“梅子黄时日日晴。”宋代诗人戴敏描写梅雨时节时，说：“熟梅天气半阴晴。”面对同样的事物，三个人的观点却不尽相同，源于他们的心态不同：快乐时，清风明月、碧海蓝天；悲伤时，乌云密布、阴雨连绵。

古时候，有个考生考完试后做了三个梦。

第一个梦，他梦到自己在城墙上种菜；第二个梦，他梦到自己戴了斗笠还打伞；第三个梦，他梦到自己跟一个女孩躺在一起，但是背靠着背。

第二天一早，考生就让他的父亲为他解梦。

父亲一听，连连叹气：“看来，你今年一定考不上了，你看，墙上种菜不是白费劲吗？戴斗笠打伞不是没有出头之日吗？

跟女孩躺在一起却背靠背，不是没戏吗？”

考生一听，一下子心灰意冷了。

考生的邻居看到考生问：“你怎么不高兴呀？”考生说出了缘由。

邻居一听乐了：“我也给你解一下。我倒觉得，你这次一定高中。你想想，墙上种菜不就说明你会高种（中）吗？戴斗笠又打伞，说明你很保险；你跟女孩背靠背躺着，说明你翻身的时候到了啊！”

考生一听，觉得很有道理，精神马上为之一振，开开心心等着放榜的日子。后来，他果然得了个第三名。

面对同一事物，不同的人看法截然不同，这完全是因为他们看问题的角度不同。上面的事例就向我们说明了一个问题：让人快乐的，不是事物本身，而是我们看问题的角度和心态。

其实，那些能用快乐的方式诠释人生的人们，并不是命运优待他们，总是能让他们遇到快乐的事，而是他们懂得如何面对困境、摆脱困境，并积极地寻找快乐。塞翁失马，焉知非福。只有这样，才能从困境中找到快乐。

一块石头摆在两个人面前，第一个人把它当作跨越成功的垫脚石，有了它的铺垫，人生会上升到一个新的高度；第二个人则把它视为绊脚石，从此停住追求的脚步。

面对困境，生活的愚者会泥足深陷，不知所措；而生活的智者总能在困境中看到充满希望的一面，并能够达到“苦中作乐”甚至“以苦为乐”的人生境界。

悲与喜、幸与不幸就像是一个硬币的两面，转换的瞬间就可以改变你的心情。当拿起蜡烛看到只剩下一小截时，快乐的人会想“真好，还有半截可以用来照明呢”；悲观的人则会想“唉，只剩下半截了，不够用啊”；当你抱怨手机被偷不能联系客户时，不妨想“没有手机的日子也很不错啊，至少可以享受不被打扰的生活了”。这就是一种转换，它同样可以让人获得快乐。学会换个角度看生活，生活就会呈现出更加潇洒、更加快乐的一面！借你一双慧眼吧，转到另一面去看世界，你会发现，原来生活到处都是美好和希望，你还有什么理由让自己不快乐呢？

为何团团转，皆因绳未断

因为绳子的牵绊，风筝再怎么飞也飞不上万里高空，骏马再怎么善于奔跑也不能日行千里……只有剪断束缚自己的那根“绳索”，学会有忙有闲，一张一弛，才能让自己获得自由和快乐。

女子对追求她的男子说：“我太忙，没有时间约会。”老板对员工说：“我太忙，没有时间听你的建议。”父亲对儿子说：“我太忙，没有时间陪你去游泳。”丈夫对妻子说：“我太忙，没有耐心听你的唠叨。”……每个人都忙得团团转，于是，女子错失了花前月下的浪漫，男子在相思中痛苦；老板继续着他的忙碌，员工因失意而苦闷；父亲多了一份歉意，儿子心中有了埋怨；丈夫多了一份烦躁，妻子又增添了一丝伤感……每个人的不快，都源于一个“忙”字——忙成了世人不快乐的根源。

一个年轻人感觉压力太大了，为了寻求开脱，就常到禅院里和老禅师谈经说道。

一次，在去禅院的路上，他看到路边拴着一头牛，于是灵机一动，想借机考考禅院里的老禅师。

来到禅院，他与老禅师一边品茶，一边谈禅。突然，他问禅师：“为何团团转？”

“皆因绳未断。”老禅师随口答道。

听到老禅师这样回答，年轻人顿时目瞪口呆。

老禅师见状，问道：“什么让你如此惊讶？”

“师父，我惊讶的是，你怎么知道答案的呢？”年轻人说，“今天在来的路上，我看到一头牛被拴在树上，绳子穿过了它的鼻子。这头牛想吃草，谁知它转过来转过去都不得脱身。您没看见这个情景，却能够出口就答对。实在是太高明了。”

老禅师微笑着说：“你问的是事，我答的是理，你问的是牛被绳缚而不得解脱，我答的是心被俗务纠缠而不得超脱，它们的道理是相通的！”

年轻人顿时有所悟：“对呀，我现在知道我为什么整天忙得晕头转向了，原来就是被工作、被生活的琐事所牵引呀。我懂了，想获得快乐，就要学会摆脱俗务的纠缠。看来，生活处处有禅机呀。”

年轻人和老禅师的对话道出了当下人不快乐的根源：为了钱，大家东西南北团团转；为了权，大家上下左右转团团；为了名，大家日日夜夜忙不停。快乐哪去了？幸福哪去了？因为一根绳子，风筝失去了天空；因为一根绳子，牛儿失去了草地；因为一根绳子，大象失去了自由；因为一根绳子，骏马失去了草原……

人生在世，不能不忙，也不能没有闲暇。有忙有闲，一张一弛，才不会人为地绷断生命之弦，加速燃尽生命的膏油，所以，要学会忙里偷闲。

宋代诗人黄庭坚说：“人生政自无闲暇，忙里偷闲得几回？”这就告诉人们人生是忙碌的，所以要学会忙里偷闲。忙里偷闲既符合文武之道，也符合自然规律。无论是在繁华街道的一隅，还是在窄小胡同的终点，或是在茂密树林虚掩着的林间小道的拐角处，总会有一两处悠闲的所在，它们静静地在那里等候，黄昏时以一两盏闪烁的灯光呼唤着人们前去小憩疗伤。当你在茶馆的角落中呼吸着那带有龙井清香的空气时，当你在流水旁的小亭中点燃一支香烟，一天的疲惫和满腹的烦闷渐渐随风飘去时，你的心中仿佛唱起了一首牧歌，恬静淡然的感觉又重新蔓延开来。

既然大多数人不可能有大把时间休闲，那就只能忙里偷闲。忙里偷闲不是偷懒，而是让紧绷的弦放松，是给滚烫的机器降温，是为新的冲刺加油，它的好处是无穷的。

第二次世界大战期间，丘吉尔虽然已经60多岁了，但是每天仍然工作长达 16个小时，他有什么保持旺盛精力的秘诀？他每天上午在床上工作到11点，他看报告、传授命令、打电话，甚至在床上召开会议。午饭之后他要睡一个小时。晚上8点的晚餐以前，还要在床上睡两个小时。他并不是要消除疲劳，因为他根本不用去消除，他事先就预防了。因为他经常休息，所以他能很有精神地一直工作到60多岁。

我们要善于忙中偷闲，在忙中找个机会放松一下自己的心情，并且让休息方式多样化。这样，既可以放松绷得紧紧的神经，又可以让身心得到彻底的休息，从而享受到生活的乐趣。生

活中总有做不完的事，爬不完的坡，善于“忙中偷闲”，在悠闲中享受生活的乐趣，才是聪明的人。

第三届电信行业高峰会议正在加州的一个度假村举行。每到会议休息时间，一些公司的老总便回到自己的房间，不是和助手商议方案，就是研究其他公司的资料，忙得团团转。

然而，令所有人惊奇的是，一到会议休息时间，环球电信公司的老总亨得利总是独自一人走出会议室，或是沿着度假村的忘忧湖散步，或是到花园中欣赏奇花异草。

刚开始，有的老总还以为亨得利不重视这次峰会，或是贪恋山水美景，而忘了自己公司发展的大事。可出人意料的是，每次会议发言时，亨得利都思路敏捷、精力旺盛、侃侃而谈，一直是整个峰会的焦点人物。

会议结束时，有位老总好奇地问他：“平时总见你漫不经心、游手好闲似的，可一到发言时，你就精神百倍，咄咄逼人，你是不是吃了什么灵丹妙药？”“是的，我的确是吃了灵丹妙药。我吃的灵丹妙药就是忙中偷闲，去散步，去赏花，在这段时间里，我的大脑得到了很好的休息，因此，这会议我是越开越精神呀！”亨得利说。

约翰·列侬曾经说过，当我们为生活疲于奔命的时候，生活已经离我们而去。努力工作是为了更好地生活，但是如果我们一味地为了到达目的地而拼命赶路，以致错过身边美丽的风景，那我们的辛苦又是为了什么呢？

抱怨像个黑洞，会吞掉你所有的快乐

一颗总是抱怨的心，是永远无法找到自己的快乐的。因此，千万留神不要让自己的心被抱怨的黑洞给吞噬了。面对抱怨时，最有力的回击就是开心地一笑而过。想要获得快乐，必须消除抱怨。除此之外，没有任何一条道路可以通向快乐的伊甸园。

有一个国际研究组织，对25个经济发达的国家进行了一项“你是否每天都感到快乐”的调查，结果有60%以上的回答都是否定的。尤为有意思的是，随后有专家对回答不快乐的人当中的大部分做了跟踪观察，发现他们常常生活在抱怨之中……一个从早到晚都在抱怨的人，又怎么可能快乐得起来呢？抱怨就像一个无底的黑洞，它会吞噬掉你所有的快乐，甚至把你拖入万劫不复的深渊。也正是基于此，才有一拨又一拨的心理医生苦口婆心地告诫那些总是抱怨的人：“要想获得快乐，你必须消除抱怨。除此之外，没有其他任何一条道路可以通向真正的快乐。”

有一天，画家列宾和一位朋友在雪后的园子里散步。在一处石凳的下边，有一片污渍——显然是狗留下来的尿迹。

“唉，可恶的狗。”这位朋友抱怨着，“多好的景致，却让它的一泡尿给破坏了。”说着，朋友就抬起脚，试图把尿迹给覆盖了。谁知道，列宾却说道：“难道你没有发现吗，正是因为有了狗的这一泡尿，这个园子才多了‘一片美丽的琥珀色’，你不觉得是对雪白大地的一种点缀吗？”

列宾的话说得多么有趣呀，他的这种心态不正好揭示了“不抱怨方能少些烦恼”的道理吗？在现实生活中，当我们在抱怨别人给我们带来不快或者抱怨生活不够如意的时候，不妨想想狗留下来的那片尿迹。其实，它是“污渍”，还是“一片美丽的琥珀色”，完全取决于你的心态：抱怨，抑或不抱怨。

拿破仑·希尔小时候有一次和母亲一起乘船渡江到纽约去。

那是一个雾气弥漫的夜晚，站在船头望着茫茫的大海，拿破仑·希尔觉得寒气袭人，不由自主地跺起脚来。

就在这个时候，母亲突然欢快地叫了起来：“啊，这是多么令人着迷的景色啊。”拿破仑·希尔愣住了：“妈妈，什么东西让您如此欣喜呢？”只见母亲依旧充满欢快：“你看呀，那浓雾，那四周若隐若现的灯光，还有消失在雾中的船，这一切多么令人不可思议……”

母亲的欢快极大地感染了拿破仑·希尔，他也似乎感觉到了浓雾中的那种神秘、虚无以及点点的迷惑。于是，一颗原本迟钝而且晦暗的心得到了一些新鲜血液的渗透，开始变得有活力了。

这时，母亲转过身来，语重心长地对拿破仑·希尔说道：“从你出生之日起，你就一直在聆听我给你的忠告。不管以前的忠告你有没有听进去，但今天的忠告你一定要听，而且还要永远地牢记着。那就是，世界从来就是如此动人、如此令人神往，所以你必须对它敏感，永远不要让自己感觉迟钝、嗅觉不灵。”顿了顿，母亲接着说：“要做到这一点，你必须让自己的心跳动起来——少些抱怨，多些热情。”

母亲的这番话，拿破仑·希尔一字不落地记在了脑海里，并在以后的日子里始终实践着。

为什么抱怨的人会说生活得这么累，因为他只看到了自己的付出而没有看到自己的所得；而不抱怨的人即使真的很累很累，却也不会去埋怨生活，因为他知道，失与得总是同在的，一想到自己已经获得了那么多，他就会感到由衷的高兴，就会停止抱怨。当你不再抱怨的时候，虽然现实还是同样的现实，但是你的生活却开始进入一种崭新的状态。而且，更为重要的是，不抱怨的心态，对于一个人的生活有着积极的推动作用——对于不抱怨的人来说，生活中根本就不存在什么痛苦，因为他们即便是处在难过和灾难之中也总能及时地找到心灵的慰藉。

正如在黑暗的天空中总能看见一丝光亮一样，拥有不抱怨心态的人，眼里总是闪烁着愉快的光芒，人看起来也总是朝气蓬勃——虽说也会有心烦意乱的时候，但不同于别人的是他能够愉快地接受这些烦恼，既没有忧伤也有没哀怨，而是从容地拾起生命道路上的花朵继续奋勇前行。可以说，具有不抱怨心态的人，无论什么时候都能够感到光明、美丽和幸福就在身边。他们眼里流露出来的光彩，会使整个世界都流光溢彩，把痛苦变成开心。

以怨养怨，是将痛苦N次方

以怨养怨，看似平常，殊不知却是一个严重的恶性循环，发出的抱怨越多，所得到的抱怨和负面影响也会越积越多……正如格雷厄姆·沃拉斯说的那样："绵羊每咩咩地叫一次，就会失掉一口干草。你抱怨越多，消极的思想出现的次数也会越多，你就越难摆脱破坏你健康心态的敌人；你就越难摆脱破坏你幸福生活的敌人。"

在这个世界上，几乎每个人都会时不时地因为一些人和事而处在这样或者那样的抱怨之中，但聪明的人往往能够化解抱怨，愚蠢的人却常常牢骚满腹，继而引来更加深重的抱怨。

有位心理学家曾经做过一个调查，结果发现对于一个经常抱怨的人来说，抱怨的由头几乎随时随地都可以找到。比如：挤车时，有人不小心踩了或者撞了他一下，他立刻就会抱怨人家想找茬；上班时，老板就事论事地说了说他的毛病，他立刻就会抱怨老板太苛刻；吃饭时，传菜的服务生洒了几滴汤水在他的身上，他立刻就会抱怨人家不长眼睛……就这样，每时每刻，他都可以找出让他抱怨的事情。更为重要的一点是，他还把抱怨当成了和人谈话的一种形式，即便是在闲聊天气、交通状况、时事新闻、子女等问题的时候也是口若悬河，让人望而生畏，恨不得立刻逃走！

心理学家把这种现象叫作“以怨养怨”。有抱怨就会有痛苦。有些人因为抱怨而痛苦，再因为痛苦而抱怨，如此循环下去，一个抱怨会引起无数个抱怨，一个痛苦会衍生出无数个痛苦。所以，“以怨养怨”是将痛苦N次方，是将其放大了很多倍。

一场瓢泼大雨，把一座多年的老房子浇塌了一个角儿。

老房子的主人特别生气地跳到院子里，指着天空，破口大骂起来：“你个该千刀万剐的老天爷，有眼泪没处洒了不是？攒了这么多，一口气喷下来，倒把我的房子毁了，衣服湿了，粮食冲了，我没地儿住了，没东西吃了，你就心安了……”

正骂得起劲呢，住在隔壁的邻居出来了，安慰他说：“哎呀，算了算了，你跟老天爷计较，有用吗，它能听得见吗？”

“哼哼，它当然听不见了，要能听见还不羞愧得一头撞墙死去呀……”

“呵呵，这不就得了嘛！”隔壁的邻居继续开导他，“既然老天爷听不见，那你干吗还在那白费劲儿呢？倒不如赶紧找些人手来把房子修一修，然后坐在屋里把衣服烤烤，把粮食拾掇拾掇，免得再下雨又出什么意外！”

可是老房子的主人一跳老高：“不行，我非得好好骂一骂老天爷，把我害苦了……”说着，他又破口大骂起来。

就这样，他气呼呼地骂了好半天，就是不说修房子的事。结果，又一场瓢泼大雨下来，终于把整座房子给浇塌了。

明知道抱怨于事无补，但还是一个劲儿地抱怨而不去努力地接受乃至改变，不但会凭空增添不少痛苦与烦恼，还会有更大的破坏作用。想想吧，如果生活中有两拨人：一拨很少抱怨，也很少说闲话；另一拨整天怨天尤人，如果一定要从两者中选择一拨去交往，你会选择哪一拨人呢?

可以相信，绝大多数的人都会选择前者。原因也很简单：在到处都充斥着牢骚的现实生活中，我们正需要一个“不抱怨的空间”！

不可否认，在现实生活中我们会不时地遇上一些让自己恼怒的事情，控制抱怨并非易事，然而若让抱怨继续下去就会伤人害己。许多时候，一旦意气用事、率性而为，其后果将难以预料。

所以说，陷入“以怨养怨”的恶性循环之后，喋喋不休的抱怨只会让你的生活更加沉闷。因此，必须想出一个最适合调整自己情绪的办法并形成习惯，从而尽最大可能地去控制自己的抱怨。

有一个小伙子，总对一些看不惯的人和事抱怨个不停。

一天，正当小伙子又大发雷霆的时候，他的父亲走了过来，拿给他一袋钉子，并且告诉他：“从现在开始，每当你抱怨的时候就钉一颗钉子在院子的围栏上。”

第一天，小伙子钉下17颗钉子；第二天，小伙子钉下15颗钉子；第三天，小伙子钉下14颗钉子……慢慢地，小伙子每天钉下的钉子越来越少，因为他发现控制自己的抱怨要比钉下那些钉子容易得多。终于有一天，小伙子一颗钉子也没有钉下，他赶紧跑去找父亲，却听父亲说道：“从现在开始，只要你控制一次抱怨，就拔出一颗钉子。”

小伙子有些不解，但还是照着去做了。

过了一段日子，小伙子总算把钉下的所有钉子全都拔了出来。

这个时候，父亲笑了起来，说：“你做得很好，我的孩子，但是看看那些围栏上的洞吧，将永远也不能恢复到从前的样子了。你抱怨时所说的话，就如同这些钉子留下的疤痕，再多的对不起也无济于事。疤痕已无法抹去，伤痛也一样存在，且真实得让人无法承受。”听到父亲的话，小伙子认真地点了点头。从此，再也听不到他的抱怨了。

如果你想很好地控制并最终放弃抱怨，那么你就必须学会克制。试想一下，如果你能够把消极、负面的情况当成是积极、正

面的机会，那么你就对自己的生命取得了绝对的掌控权。

在这里，不妨按照心理学家说的那样“训练自己把杯子看成是半满而不是空的”。何为“把杯子看成半满而不是空的”？通俗一点来说就是：不再问“为什么”，而是开始问“如何”。如果你注意一下自己抱怨时所说的话的语言结构，可以看到，你经常这样说道：“为什么我的父母不是富翁？”“为什么老板没有让我晋升？”“为什么我不能受到更多的训练？”“为什么我没有做到？”“为什么没人告诉我应该这样做？”“为什么我就找不到一个与我相爱的人？”

所有这些“为什么”对你的影响很大，它们牢牢地控制着你的情绪，从而让你把生命中很大一部分精力和时间都放在这样那样的抱怨之中。现在，你可以这样问自己：“我如何才能做到？”“我如何才能让老板给我升职？”“我如何能够不再痛苦？”“我如何能够发挥自己的特长和优点？”“我如何把经历变成一种优势？”当把“为什么”转变成“如何”之后，你就能够得到超出你想象的更有建设性、更富愉悦性的人生，当然你也会迅速地看到你的转变。

既不怨天尤人也不怨天尤己，从现在开始不要抱怨出身，不要抱怨环境。虽然无法改变生活，但是可以改变自己；虽然改变不了过去，但是可以努力改变未来。如果我们摆脱了“以怨养怨”的恶性循环，那么我们也就改变了我们的生活。

只有拥有希望，才会拥有快乐

遇到事情，不管有多么难，都不要用悲观、消极的心态去猜想未来，因为好事可能会变成坏事，而不幸中又可能蕴藏着机会，关键在于你用什么样的心态去对待它。一个积极的人，总能看到美好，总能看到希望，总有更大的动力驱使自己前进。

在电视剧《我的青春谁做主》中有这样一句经典台词：“坚强的理由是因为人的心里还有希望，心若没有希望栖息的地方，生活也就失去了光彩。”

人活在世上，不能没有希望，就像不能没有阳光、空气、水和食物一样。那么，希望到底是什么？希望是生活中某个幽暗角落里的耀眼阳光，是一直守候在你身边的人生信念，有了它，就有了生活的方向和动力，每向前一步就意味着又向幸福迈近了一步。失望无非就是躲在希望身后见不得光的影子，那根本影响不了你正常的生活，因为希望永远在照亮着你前进的方向。

法国著名作家莫泊桑说过这样一句话：“人是靠希望活着的，当旧的希望变成现实，或者消失了，就会有新的希望继续燃

烧起来，如果一个人的生活中没有希望存在，他的生命实际上也就失去任何意义了。”是的，只要心存希望，就会发生奇迹，就能让人的信念永存。

如果说绝望是痛苦的酵母，那么希望就是通往幸福的桥。每天给自己一个希望，就是人生幸福的智慧。因为有了希望，凡事才有成功的可能；因为有了希望，你才会去拼搏。一旦有了希望，你的人生才会有目标，你才可以在它的指引下，坚持不懈，直到获得自己的幸福。

有一位教授，素以才学兼备而深受学生的爱戴。

非常不幸的是，在一次例行体检中，教授被诊断出患有癌症。这无疑是一个晴天霹雳，他的情绪马上就低落了下去。

不过，教授很快就接受了事实，一扫起初的满面愁容，变得更宽容、更珍惜眼前的一切了。当然，在勤奋工作之余，他从未放弃过与病魔做斗争。

就这样，教授安然地度过了好几年，直到现在依然活得很快乐。有人问教授是怎么回事，他笑盈盈地答道：“是希望，几乎每天早晨我都给自己一个希望，希望我能多辅导一个学生，希望我的笑容能温暖每一个人。”每天给自己一个希望，也就是给自己一点信心、一点战胜自我的勇气。这样，不但可以收获快乐，还会让人生不断丰盈。

亚历山大在远征波斯之前，将所有的财产分给了部下，其中有个大臣惊讶地问道：“陛下，你不带点什么吗？”

“我带了希望，我只带希望这个财宝。”亚历山大回答说，

“是的，希望是一种宝贵的财富，在顺境中，它让你更有激情；在逆境中，它是你坚持下去的理由，人生因为有了希望而变得更有意义、更快乐。”

希望，是让人生充满活力的催化剂，没有希望，人生就会像没有盐的饭菜一样，索然无味。正如一位哲人所说：“在人的一生中，最重要的财富不是名利，也不是地位，而是那像火焰一般燃烧着的希望。”一个人，就算你拥有了全世界的财富，如果没有了希望，你也不会获得充实的内心。

每天给自己一个希望，就会得到一份快乐的心情，能让自己坦然地面对人生中的一切困难与挫折；每天给自己一个希望，就是给自己一点信心，激发生命的能量；每天给自己一个希望，不为昨天而后悔，就不会为明天而烦恼。

当你微笑时，整个世界都在笑

人生的很多快乐，往往来源于外部环境，身处环境的好坏常常能够影响我们的心情。其实，我们完全可以靠自己的力量优化我们身处的环境，从而让自己快乐起来。比如，当你面对世界微笑的时候，你会发现，你会将快乐传染给很多人，整个世界都充满快乐，你就会沉浸在快乐的海洋中。

快乐的人生离不开微笑，微笑不仅能给人留下良好的印象，更能彰显一个人积极的生活态度。如果说微笑是乐观心态的外在表现，那么一个乐观的人，一定是喜欢笑的。一个不懂得微笑的人，在生活、工作中往往会遇到许多障碍，当他学会微笑时，一切才会发生改变。

汤姆向朋友诉说自己的苦处："我工作兢兢业业，吃苦耐劳，可是，我的生意怎么也做不大；我拿出收入的一半用来给员工发工资，可我的员工还是对我充满抱怨；我深爱我的家人，可我的妻子经常和我吵闹，孩子也不喜欢我。为什么我的生活没有一点快乐可言？"

朋友听完了汤姆的话，也学着汤姆的腔调，紧锁眉头，脸色沉重地反问汤姆:“是啊，为什么会这样呢？”

汤姆一脸痛苦地对朋友说:“你和我说说这是怎么回事？”

朋友瞪大双眼，一脸严肃地说：“我没有和你打哑谜呀。”

汤姆忙回答:“你还说没有，你看看你的脸，从你的表情就看得出，你是在捉弄我啊！”

听汤姆这样说，朋友突然大笑起来，他取出一面镜子递给汤姆说:“我不是在捉弄你，我是在模仿你啊！”

汤姆对镜一照，惊讶地发现，朋友刚才的表情和自己现在的表情一模一样：一脸的严肃和紧张，看起来一点也不讨人喜欢。

“唉，我能有好脸色吗？我要时刻注意公司的效益，监控员工们是不是在用心工作，就是回到家里，心里也不踏实，我不操心的话，又怎么能做好自己的事呢？”汤姆叹道。

朋友笑道:“生活就是你手里的这面镜子，你对它笑，你得到的也是微笑的面孔；你对它板着一张脸，它对你也就没有好脸色。凡事看开些，只要你学会微笑地面对生活，不仅自己能得到更多的快乐，很多事情也会因此发生改变，你不妨试试看。”听了朋友的话，汤姆回到公司以后，无论遇到什么不开心的事，都保持微笑。

他的员工看到老板那么开心，心情也跟着好起来了，工作起来也更有劲头了；他的妻子看到丈夫那么开心，也变得更加温柔了；他的孩子看到爸爸那么开心，也愿意扑在爸爸的怀里撒娇了……没过多久，汤姆发现一切都变了：员工们工作都很努力，

一点也不让自己操心了；妻子变得更体贴了，很少再抱怨了；孩子也变得懂事了，听自己的话了；还有更让他欣喜的是，公司的效益也变得越来越好了。

这时汤姆突然发现，快乐其实很简单：只要保持微笑，快乐就会如期而至。

充满乐观的微笑能感染他人，让自己获得更多快乐。生活在紧张、快节奏的信息时代，人们比以往任何时候都更需要微笑。发自内心的微笑，能让大家心情愉悦，能让对方热情更高。我们给别人一个微笑，别人就会回敬我们一个微笑，彼此的心门也就随之打开。微笑能让我们家庭和睦，微笑能帮我们结交到更多的朋友，微笑能帮我们敲开成功之门……可以说，人生的很多美好都来自微笑。在人生的旅途上，微笑是最好的名片。

如果你遇到了困难，你不妨学会微笑，这样你也许能够找到解决问题的方法，也许能够理解和享受生活。

人生不如意者十之八九，只有拥有了笑对一切的豁达心态，你才不会被挫折和不幸击倒，才不会陷入痛苦的深渊里不可自拔；只有把悲伤藏在微笑下面，才能活出快乐的自己，才能奏响幸福人生的最强音。

她原本有一个幸福美满的家庭：丈夫温柔体贴，儿子聪明可爱。可是在儿子10岁那年，一场疾病夺去了他的生命。中年丧子的打击使她悲恸欲绝，她整日以泪洗面，对于丈夫和亲朋好友的劝导，也置之不顾。最后，她甚至决定放弃工作，离开家乡，把自己藏在眼泪和悲痛之中。

就在她整理儿子的遗物时，突然看到了儿子以前的日记本，泪眼蒙眬中，她打开日记一篇篇地往下看，一直看到儿子生前写的最后一篇日记，上面有这样一段话：“我永远也不会忘记妈妈告诉我的话，妈妈说，不论生活在哪里，不论我们离得有多么远，你都要微笑，都要像个男子汉，学会承受所发生的一切！”

她把那篇日记看了一遍又一遍，觉得儿子就在她的身边，正在对她说：“你为什么不照你告诉我的话去做呢？坚持下去，无论发生什么事情，把你的悲伤藏起来，微笑着继续生活下去！”于是，她开始振作起来，像以前一样正常地生活，并开始友善地对待身边的每一个人，久违的笑容也再次回到她的脸上……

三年后，她和丈夫又生了一个儿子，看着丈夫幸福的表情，看着儿子可爱的笑脸，她觉得自己的人生又开始了新的篇章。

有一份豁达的心态，你就会把人生的困苦踩在脚下；有一份豁达的心态，你就会拥有寻找快乐的力量；有一份豁达的心态，你才能拥有容下快乐的空间。积极地进行心理调节，凡事看开些，随时抛开忧虑，乐观地面对一切，快乐就会随之而来。

没有爱的人生是不快乐的人生

心理学家弗洛姆曾经说过这样的话："生命是不可以没有爱的，没有爱的生命是不能在世界上存在的，哪怕是一天！"是的，没有爱的生命意味着什么？孤独？寂寞？还是焦灼？总之，人生的一切痛苦都会随之而来。有爱，才可以快乐。当内心有爱时，每一句话都是快乐的音符；当内心有爱时，每一个动作都会播下快乐的种子；当内心有爱时，我们周围的阳光也会跳起快乐的舞蹈。

快乐是什么？是爱。它提醒着我们什么是我们最应该珍视、最渴望得到的东西。在《睡美人》这个童话故事中，女主人公从一位英俊的王子那里得到深情的一吻，于是从漫长的睡梦中醒了过来，后来她跟王子一起来到了王子居住的宫殿，并成为了王子的妻子，从此与王子过上了快乐的生活。这就是爱的力量。

快乐是爱最重要的元素，它依赖爱而存在，所以，有爱才会有快乐。人生要是没有爱，那么什么都没有了，一切的一切都可以消失殆尽！

一天，两个饥肠辘辘、衣衫褴褛的农村兄弟，大的10岁，小的才5岁，他们到城里讨饭。他们敲响了第一户人家的门，这家人在门里说："自己去干活挣钱，有钱就有饭吃了，不要来麻烦我们。"他们又来到另一户人家的门前，里面的人说："我们这里是不会施舍任何东西给叫花子的。"

接着，他们又遭到了一连串的拒绝，兄弟俩很伤心。最后，他们遇到了一位好心的妇人，她对他们说："哦，我可怜的孩子，让我去看看有什么东西可以给你们吃。"过了一会儿，她拿了一瓶牛奶送给了兄弟俩。

兄弟俩坐在公园的草地上，像过年一样高兴。弟弟双眼盯着牛奶，对哥哥说："你是哥哥，你先喝！"哥哥看了看弟弟，拿起奶瓶"喝"了一口。其实他双唇紧闭，一滴牛奶也没喝到。然后，他把奶瓶递给了弟弟，"现在轮到你了，一次只能喝一点点哦。"弟弟急忙接过奶瓶，喝了一大口，哥哥又接过瓶子，假装喝了一口。就这样奶瓶在兄弟俩的手里来回传递，哥哥一会儿说"现在该你了"，一会儿说"该我了"。一瓶奶就这样喝完了，其实哥哥一滴也没有喝到。哥哥付出了爱心，得到的是弟弟的满足和快乐。哥哥的付出得到了回报，那就是幸福的感觉。虽然他肚子空空，却幸福满满。

只要有爱就有足够的力量和信念去改变这个世界。心中有爱的人即使孤苦伶仃、无家可归，生活也会充满希望，也会有勇气把梦想变成现实。心中无爱的人即使锦衣玉食、子孙满堂，活着也是行尸走肉，因为他们已把心灵带进了坟墓。正因为有爱，我们的生命才有了光芒和色彩。

爱是接纳，是鼓励，是一种人与人的相互给予。我们有许多人一生都只会依照自己的方式去爱，而忽视了别人的需求。举例来说，当我们在家里准备晚宴的时候，最在意的是家看起来亮不亮堂、菜肴精不精美，而不是我们的亲人。我们也许忘记了答应孩子们去野外游玩的承诺，原因是太忙；我们也许有好几年没有送新年礼物给自己最好的朋友，原因是想不出送什么礼物合适；我们一心所想的只是自己的风光和体面，从未意识到如果沉迷在自我之中，将会没有办法向别人表达真正的爱!

如果是这样的话，我们不妨尝试着去表达这种对亲人和朋友的真爱，我们会发现，表达或是给予真爱，会使我们感到满足，而这正是我们获得快乐人生的源泉。

在现代生活中，繁忙使我们的心灵处于沉睡状态，往往忘了什么是最要紧的东西，忘了爱到底是什么。

曾经有个小男孩，他非常渴望见到上帝。他走了几条街，有点累了，这时他看见一个老婆婆坐在公园的长椅上，聚精会神地望着在草地上啄食的鸽子。

小男孩想休息一会儿，就在老婆婆旁边坐下了。他从包里拿出一个小面包，正要往嘴里送，却发现老婆婆望着他，好像她也饿了。于是他把小面包送了上去，老婆婆微笑地接过面包。老婆婆笑得真好。小男孩还想看，于是他又送给她一瓶酸奶。老婆婆又送给他一个感激的微笑，小男孩高兴极了。

他们就那样一边吃，一边笑，在长椅上坐了整整一个下午，一句话也没说。天快黑了，小男孩起身准备回家，走了几步，又转回来，他张开双臂紧紧地拥抱老婆婆，而她回送给他最美丽、最动人的微笑。

小男孩回到家，妈妈马上发现儿子的脸上洋溢着喜悦，于是她问：“今天你怎么这么高兴？”

“我今天和上帝一起吃了午饭，”看着妈妈惊讶的表情，儿子自得其乐地说，“你知道吗，我从没有见过像她那样美丽的笑脸。”就在同时，老婆婆也回到家了，她也是满脸喜悦。她的儿子十分奇怪地问：“妈妈，什么事让你今天这么高兴？”

“今天我和上帝一块儿吃面包了，”儿子还没反应过来，她又补充了一句，“你知道吗，上帝可真年轻！”

爱是所有事情——工作、家庭、人际关系等成功的关键，快乐的秘诀也是爱。我们要对自己有足够的爱，以便认识到我们有能力获得快乐。我们也必须相信，我们周围的人需要我们的爱，我们也能够给他们带来快乐。

只有做个懂爱的人，才会真正走上幸福之路。一旦我们生活在爱的阳光下，我们自己也将成为一座灯塔。与其被人爱，不如去爱他人。因为，一个人只有忘我，才能发现自我；只有宽恕他人，才能被他人宽恕。快乐也会在爱与被爱的过程中蔓延开来。

我们只有爱他人，才会得到他人的爱；只有做个懂得爱的人，才会找到真正的快乐。

Part 02

放开情绪枷锁，别让不开心绑架了你

“人生最大的敌人，是自己”，很多时候往往是自己跟自己过不去，而导致自己情绪低落，其实只要学会放下、放平、放心，让不开心远离自己，自然就会变得宽心、开心，自己也获得一次焕然一新的机会，重新爱自己。

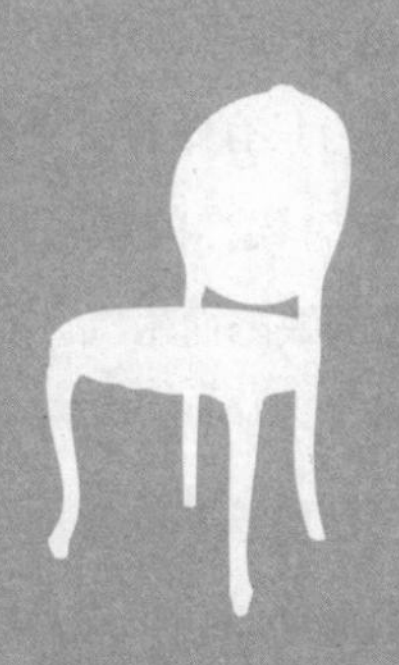

02

没有人完美无缺，正视自己的不完美

你的生活中是不是也有不完美的地方呢？你一直在为它烦恼吗？告诉你，要想追求到快乐，就必须正视自己的不完美。如果对生活一味追求理想化、一味追求完美，最后只会导致自己苦不堪言。因为完美是相对的，没有绝对的完美，完美主义者永远不会感到快乐。

没有完美的世界，也没有完美的人生，如果你抱着自己的完美理想不放手的话，就会招惹来无穷无尽的烦恼，常常生气，相反，在完美与不完美间寻找一个平衡点，你将会生活得轻松快乐很多。

有时候，人们会被这种在生活中或是工作中吹毛求疵、追求完美的压力所蒙蔽，认为只有做得“更好”才会使自己更加快乐，其实，大可不必，有时候你的缺陷也是一笔可观的人生财富，所以，没必要为自己的缺陷而生气。

有一个人，孩子不是那么聪明，妻子不是那么漂亮，家里也没有太多的钱。他总为自己的这些缺憾而不快乐，他为孩子的愚笨而伤心，为妻子的丑陋而痛苦，更为自己的贫穷而自卑，他实

在不堪忍受上帝的这种安排，于是就祈求上帝改变自己的命运。

这个人一直为自己祈祷了三年，上帝终于被他打动了，于是对他说：“如果你能在世间找到一位对自己命运满意的人，我就弥补你所谓的缺憾。”

这个人一听高兴极了，马上就开始了他的寻找历程。

一天，他投宿一户人家，看到男主人不仅家境殷实，而且他的妻子很漂亮，夫妻俩还有一个聪明的儿子。于是这个人就问男主人：“你一定很满意吧？”

男主人回答：“哪里呀，你看到的只是表面，你知道吗？我的妻子患有严重的哮喘，我的孩子患有癫痫，家中虽然有点钱，可是，每年给妻儿看病都会花去很多钱。家家都有本难念的经呀，可能只有国王才会对自己的命运满意。”

于是，这个人找到国王，问道：“陛下，您拥有至高无上的权力，享有享受不尽的荣华富贵，您对自己的命运满意吗？”

国王叹道：“我虽贵为国王，却日日寝食不安，时刻担心有人会夺走我的王位，国家能否长治久安，我能否长命百岁，还不如一个快乐的流浪汉！”

于是，这人又去找了一个正在晒太阳的流浪汉，问道：“流浪汉，你不必为国家大事操心，可以无忧无虑地晒太阳，连国王都羡慕你，你对自己的命运满意吗？”

流浪汉听后哈哈大笑：“你在开玩笑吧？我以乞讨为生，无家可归，怎么可能对自己的命运满意呢？”

就这样，这个人走遍了全国的每个地方，访问了各行各业的人，结果所有的人都对自己的命运怨声载道。

最后，上帝对他说："你儿子不聪明，但是孝顺；你妻子不漂亮，但是体贴；你家庭不富有，但四季平安，你为什么不为这些感到快乐，而为那些不可避免的缺憾而痛苦呢？"

这个人终于有所悟——生活没有完美，人生都有缺憾。

现实生活中，我们许多人都过得不开心、不惬意，因为他们对环境总有这样或那样的不满，他们没有看到让自己快乐的一面。也许你会说："我并非不满，我只是指出还存在的问题而已。"其实，当你认定别人的过错时，你的潜意识已经让你感到不满了，你的内心已经不再平静了。

有一个不完整的圆为找回自己丢失的碎片，踏上了艰苦的滚动旅程。由于不完整它走得很慢，它尽情领略日出的壮观和日落的浪漫，一路走来它与鲜花为伍，同昆虫做伴。它找到了许多碎片，但都不是它要找的那一块。终于有一天，它实现了自己的愿望。然而，当它成了一个完整的圆后，它却无法控制自己的速度，由于滚动得太快，它错过了沿途美丽的风景，错过了花开的时节，它感受到从未有过的孤独。后来它意识到为了追求完美，它失去了太多，于是它坚定地放弃了自己历尽艰辛找回的碎片。

人活在世间，谁能事事顺心呢？其实人生永远不会完美，人生就是这样子，因为缺憾才美丽。世界本来就是有缺憾的，如果没有缺憾就不能称作世界。我们在缺憾中生存，缺憾伴随我们一生，没有缺憾就是圆满，而圆满就是到达了终点，就是停滞。因为圆满，会使人失去了"咬牙切齿"奋斗的劲头。如此，圆满反

而成了一个最大的缺憾了。断臂的维纳斯，她的美不仅征服了西方，也征服了世界。曾几何时，多少艺术家使出浑身解数，想为她修复双臂，然而，欲成其美，却适得其反。许多悲剧之所以令人回味无穷就在于它的缺憾，留给观众很大的思考余地。正如狄德罗所说："如果世界上的一切都是十全十美的，那便没有十全十美的东西了。"月亮因为有阴晴圆缺，所以才那么迷人。著名影星玛丽莲·梦露，有人说她脸太短，身体则丰满得有点偏胖，然而她却被评为二十世纪最美的女人。美国伟大的总统林肯相貌丑陋，不修边幅，嗓音粗哑，但他是历史上最完美的演说家。

要记住，虽然你缺点很多，也相当不完美，但你仍然是独一无二的。卢梭说："大自然塑造了我，然后把模子打碎了。"可是，有太多的人违背自我，把别人眼中的"完美"作为自己的奋斗目标和追求对象，如此一来，肯定会活得很不开心。对于生活，大可不必如此，只要保持正常状态，拥有一颗平常心，你将轻松许多。而且，接受多数人身上都存在的缺点，你的生活一定能或多或少地得到改观，同样，对自己也尽量宽容一些。学会欣赏自己的不完美才会构建属于自己的快乐生活!

越攀比，越有气；越比较，越伤心

有这样一句话："不看我所没有的，只看我所拥有的。"无论什么时候，不管你是卑微的小人物还是伟大的时代宠儿，都不要试图去和别人比个高低或是争个上下。要知道，"人比人，气死人"。

《牛津格言》中说："如果我们仅仅想获得快乐，那很容易实现。但我们希望比别人更快乐，就会感到很难实现，因为我们对于别人的快乐的想象总是超过实际情形。"

事实上，攀比是人类痛苦的根源。农民羡慕白领有钱，白领羡慕农民清闲；当官的羡慕经商的，经商的羡慕当官的。人们总是觉得别人手里的牌比自己的好，总是觉得自己事事不如人。生活中，人们总是喜欢抱怨自己的不幸，对他人取得的成就则惊羡不已。他们总是在抱怨：

——小张都涨工资了，我还在原地踏步，到哪儿说理去呢？

——老高买新房子了，他和我一块进的公司，看看人家，再看看自己，唉……

——人家的孩子怎么就那么争气呢？看看自己的孩子，真是

没办法……

事实上，事情完全不像他想的那样：小张根本就没涨工资，只不过是他爱面子吹牛罢了；老高买的新房子全靠贷款，刚刚买完房子就后悔房价开始跌了；别人的孩子也没有那么优秀，而他自己的孩子也不见得真的不争气……所以，很多时候，就像漫画大师朱德庸说的那样：“我相信，人和动物是一样的，每个人都有自己的天赋，比如老虎有锋利的牙齿，兔子有高超的奔跑速度、弹跳能力，所以它们能在大自然中生存下来。人们都希望成为老虎，但其中有很多人只能是兔子。我们为什么放着很优秀的兔子不当，而一定要当很凶的老虎呢？”

很多时候，我们总是拿自己相对弱的一面与别人强的一面作比较，从而让自己产生强烈的挫败感，进而出现焦虑等情绪，觉得不快乐。看着别人有钱，嫉妒；看着别人有权，诅咒；看着别人有时间，羡慕；看着别人晋升，委屈……正所谓“越攀比，越有气；越比较，越伤心”。

星期一早晨，大地房地产公司的销售部经理黄自强突然向总经理提出辞职。鉴于黄自强才华出众、业绩超群，总经理对他多加挽留，不但主动给他增加薪水，还承诺在短期内会给他升职。原本想跳槽的黄自强最终打消了辞职念头，留下来继续为公司服务。

这个消息很快传到了人事部经理吕晓军的耳朵里。吕晓军想，我也是个不可或缺的部门经理，不如向黄自强学习，总经理肯定也会给我升职加薪，以作挽留。

经过准备，吕晓军走进了总经理办公室，表示自己也想辞职。不料总经理非常爽快地答应了，对他说："那好吧！既然你去意已决，我也不好强人所难。祝您前程似锦！噢，对了，请你尽快补交一份辞呈给我。"

原来，吕晓军一向表现不佳，业绩平平，鉴于他老实、听话，总经理虽然对他早有意见，但是一时间还真找不到适当的机会辞退他。这次他主动来辞职，总经理正好顺水推舟。

故事中的吕晓军弄巧成拙，不但没有像黄自强那样得到升职加薪的优厚待遇，反而连原有职位也丢掉了。由于他的盲目攀比才落得如此下场。跟别人攀来比去，你最后除了失望之外，还能得到什么？有没有意义？是徒增烦恼还是有所收获？最后思考的结果毫无意义。你明白了攀比毫无意义，自然就会停止这种无聊的行为。生活是自己的，只要让自己快乐、舒适就好，何必让有害无益的攀比损害自己的快乐呢？

人必须充分了解自己，并给自己找到一个准确的位置。如果做不到这一点，一味地盲目攀比，从而做出一些不可理喻的事来，最终只能让自己吞下苦果。

有人坦言，最害怕去参加同学会，因为现在的同学会简直就是“攀比会”：比事业、比地位、比房子、比车子、比银子……于是，我们越比越急、越比越累、越比越气，老实说这种烦恼都是自找的，放下攀比之心，就会少些怨气，生活也会轻松很多。

在现实生活中，却总有一些这样的“糊涂蛋”。

两口子要离婚，签字前，调解员问：“你们为什么要分开呢？”“瞧人家，买了套二百多平方米四居室的房子，超大的客厅、宽敞的露台、独立的卫浴，还有车子……瞧瞧我家这个窝囊废，什么也买不了。”妻子回答。

“哼，一天到晚就知道讽刺我，哪像人家的老婆，上得厅堂、下得厨房、温柔贤惠、精明能干，她差远了……所以我要和她离婚。”丈夫回答。

调解员无语了。就这样，总是羡慕别人，结果，两个人都活在不快乐中，也就越来越觉得自己的生活糟糕透顶了，最后只能分道扬镳。可以说，他们是在别人的拥有里给自己寻找痛苦。其实，我们完全可以过上另外一种生活，一种轻松愉快的、没有什么压力的、自己喜欢的生活。可是，事实上，很多人整天愁眉苦脸，总认为自己拥有的一切没有别人的好。很多时候，看别人的经历一般有两个目的：一个是从别人的经历里寻找自己的影子，一个是以别人失败的经历为借鉴让自己逃脱。于是，当在别人的拥有里找不到自己的影子或拽着别人的绳子没有从自己的困境中跳离时，就开始怨天尤人或者是破罐破摔。久而久之也就把生活当作了负担，觉得生活充满了痛苦。

当你明白比上还有不足时，才会努力进步，才有可能成功；当你明白比下有余时，才会得到满足，才会活得快乐。所以，我们要学会正视自己，学会自我开释。只要退一步想，你就会发现，生活中的很多事情其实并不需要太在意。如果一定要在意，那你就在意怎么才能去除盲目攀比、自寻烦恼的心理。

柯阳的上司比他还小一岁，每年赚个几千万，与老板比起来，柯阳觉得自己简直像个要饭的。有一段时间，柯阳非常郁闷，都是人，都是那样工作，为什么差距就那么大呢？他一度觉得自己很无能，甚至快要到自暴自弃的地步了。

直到有一天，柯阳的大学同学聚会，才让他改变了这样的想法。在同学们的眼中，柯阳是他们当中事业做得最成功的一位，不到30岁，房子、车子全都有了。与柯阳比起来，他的同学全都感叹自己还在温饱线上挣扎。看到同学们的情况，柯阳又重新找

回了自信。当然，他不是在贬低同学，而是他已经知道了以后用什么样的心态面对生活。从那以后，他工作更卖力了，面对每年赚几千万的老板心态也平和了。

周立波说："幸福是看出来的，痛苦是捂出来的。我们总喜欢把别人表面的幸福和我们隐藏的痛苦做比较，结果我们的痛苦指数在不当的对比中又创新高。我们羡慕鸟儿的翅膀能飞，鸟儿又何尝不嫉妒我们的双腿能跑呢？与其用别人的幸福惩罚自己，还不如用自己的痛苦鞭策自己。人啊！越比越糊涂，越想越想不明白。"的确，人与人之间其实没有那么多的可比性，面对比自己强的人没必要去比较，自己不停止追求的步伐，开开心心过好每一天才是最重要的。生活中遇到不顺，我们会怨天尤人，那是因为我们的眼睛放大了别人的优点，在仰视别人的同时看到了落差，这确实令人心中不悦。但我们要看到，自己"比上不足，比下有余"，只要找到了一个维持平衡的支点，你就会快乐。

给精神松松绑，给心灵放放风

一栋没有窗户的房子，不能沐浴温暖的阳光，如何呼吸新鲜的空气？人也是一样，若是心灵被囚禁，就会窒息；只有释放心灵，才能够通达，人生才会快乐。所以，永远不要让自己的心灵被世事纷扰缠裹，真正的快乐需要心灵的绝对自由。每一个人都可以过得快乐，只要给予心灵一个自由的舞台，让心灵无拘无束地飞翔，给精神松松绑，给心灵放放风，不让枷锁封闭心灵，你就会快乐。

在生活中，我们常常看到这样一些人：他们一天到晚总是来去匆匆；他们总有忙不完的事，签不完的合同，打不完的电话；他们从不留意路旁的花、身边的树；他们没时间陪父母吃饭，与妻子聊天，和子女交流……因忙碌而忘记休息，因忙碌而忽略亲人，人生渐渐变得毫无生气。

一个被捆绑的身体，怎会行动自由？一颗被捆绑的心灵，又怎能与他人进行交流？所以，快给我们的心灵松绑吧，这样我们才能喘口气。

生活中，很多的失意和无奈，往往不是由我们所处的外部环境决定的，而是来自于我们的心灵。心灵的禁锢，心灵的退缩，迷惑了我们的思想、瓦解了我们的信念、阻碍了我们的前进，慢慢的，一座心灵的牢笼悄然建成，从此我们被囚禁其中，被迷惘和痛苦煎熬。所以，只有拆除心灵的围墙，解除心灵的桎梏，让心灵自由飞翔，才能让我们一生激情飞扬，突破重重阻碍，让人生获得快乐。

有一次，有个人遇到科学巨匠霍金，不禁用充满同情的口气对他说："霍金先生，病魔将你永远地留在轮椅上，你不认为生活对你不公平，让你失去太多自由了吗？"面对如此尖锐的问题，霍金脸上依旧保持着平静，他用不太灵活的手指艰难地叩击键盘，于是屏幕上出现了这样一段文字：我的眼睛还能看得见，我的大脑还能思考，我的理想还没有破灭，我还有许多爱我的亲人和朋友，对了，最重要的是，我有一颗自由的心灵。在人生的考验和苦难面前，霍金不但没有将自己的心灵囚禁在痛苦中，反而为自己搭建了一座美丽的心灵城堡，在这座城堡里，没有悲伤，也没有哀怨，有的只是心灵的自由。也正是因为适时地放飞心灵，才让霍金的生活没有因为身体的残疾而变得黑暗！

大家常说自己忙，特别是有了自己的家庭以后，一边忙家庭，一边忙工作，与朋友甚至是亲人的联系少得可怜。其实，问一下自己，难道真的忙得连打一个电话、发一个短信的时间都没有了吗？答案当然是否定的。是我们的心灵塞满了繁杂的琐事，是我们的心灵失去了敏感的触角，我们被感动的能力也在逐渐退化。面对任何事情都不会轻易感动，不愿倾吐自己的心声，一颗鲜活的心由于包裹得太严实，而变得苍老。让我们适时地给心灵松松绑，这样生活才会多一些乐趣，少一些烦恼。

一天，苏克觉得自己好像生病了，就去图书馆借了本医学手册，看该怎样治自己的病。苏克一口气读完了整本医学手册，结果发现自己什么病都有！苏克决定去找自己的医生。

医生给他做了诊断，最后写了一张纸条递给了他。苏克看也不看，拿着处方就赶到药店去取药。药剂师接过处方看了一眼，笑着说："你走错地方了，我们这可不是饭店。"苏克很惊奇地拿回处方一看，原来上面写的是：面包、鸡蛋各一个，牛奶一杯，每天早起服用。煎牛排一份，啤酒一瓶，中午、晚上各一次。晚上12点前入睡，早起快走10英里路程。

苏克照这样做了，一直健康地活着。

如果一个人总是将生活的不愉快放在心里，耿耿于怀，那么他的心灵就会反过来折磨他，让他身心俱疲。所以，永远不要让自己的心灵被世事纷扰缠裹，真正的快乐需要让心灵绝对自由。

美丽的花朵是一点一点开放的，它们靠着争取自由的信念，逐渐抖落冰雪的束缚，蜿蜒着枝蔓悄悄接近春天的温暖。倘若心甘情愿地被冰封在白雪中，还会迎来繁花似锦的春天吗？还会有燕儿轻剪湖面的波浪吗？还会有蝶舞飞扬的烂漫吗？还会有绿意盈盈、杨柳依依的美丽吗？当然不会，那么，还是让心灵自由飞翔吧！

南非前总统曼德拉经历过一段长达27年的监狱生活。后来，

他在总统就职典礼上，将曾经看守过自己的三名狱警邀请到现场，听说这三名狱警曾经非常无理地虐待过他，可是曼德拉总统不但没有报复他们，反而向他们致敬。大家都感到十分不解，曼德拉这样说道："当我走出监狱的大门，看到天空自由散发的阳光时，我很清楚，如果自己不能将曾经的悲痛与怨恨关在心门之外，那么我会重新回到心灵的牢狱中。"由此可见，这位伟大的总统有一颗多么宽广的心。

滚滚红尘，万物变迁，世态炎凉，如果不能摆脱心灵的困惑和痛苦，就算是上帝给予你再多的帮助，你还是无法获得真正的快乐，就算人身是自由的，心却还在地狱中煎熬。所以，自己才是自己心灵的主人，在这一点上，曼德拉远比我们普通人站得更高、看得更远，这也是他能成为总统的原因之一。

现代生活中许多人在繁杂的工作中，迷失了心灵的方向，为了理想，为了生活，宁愿活在没有自由的世事牵绊中。但是我们有没有问过自己，我们是否真的甘愿在心灵的监牢里度过一生？是否只有当满头华发时，我们才来思考自己的自由和快乐？

不妨现在就想一想：物质越多越好吗？当然不是。快乐的关键是我们有没有委屈自己的心灵。钱再多，心灵和精神失去自由，人生还有什么快乐可言呢？与其花钱满足物质需要，不如静下心来认真地去关注自己的内心世界。

心灵自由的真正标准，是一种"外化内不化"的生活态度，外化，也就是自己外在的表达，比如气质、谈吐、学识、修养等；内不化，就是不委屈自己、不欺骗自己的心灵去做自己原本不应该或者不愿意做的事情。如果你真的能做到“外化内不化”，你的心灵也就有了可以繁衍快乐的土壤。

那么，就请在繁忙的时候给心灵一点养分，给心灵一块空间，为自己的心灵培植一棵自由之树吧。为了更快乐地生活，请让心灵自由吧！闲暇时，一盏清茶，一曲幽歌，香气袅绕，乐音荡漾，整个心灵就得到了舒缓。

俗话说，人生苦短，你为何不给自己的心灵松松绑，为何不让自己的身心轻松愉悦呢？生命的美丽在于享受收获，享受阳光，享受亲情，享受生活。把我们心中的那盏明灯点亮吧，因为它会照亮我们心里的每一个角落，这样我们就能做阳光的自己，尽情享受健康、快乐的每一天。

把你不能左右的事情，留给上帝忧虑吧

卡耐基曾经这样说道："其实很多小忧虑也是如此，我们都夸张了那些小事的重要性，结果弄得整个人很沮丧。我们战胜过生命中无数次狂风暴雨和电闪雷鸣的袭击，可是却让忧虑的小甲虫咬嚼，这真是人类的可悲之处。"人生总有很多事我们不能左右，与其在焦虑、沮丧中活，还不如干脆就不去想，这样，我们的生活就不会有烦恼。

忧虑是人诸多情绪中的一种，它和烦恼一样，是非常不必要的。生活中总有人在不停地忧虑：孩子今天在学校有没有好好听课；明天中午吃什么呢……这些忧虑对于我们来说没有任何意义，因为你永远不知道接下来的生活会发生什么。无谓的忧虑只会给自己增加烦恼，让自己心情郁闷。所以，你要做的就是好好地把握眼前的一分一秒，把那些未知的忧虑统统地抛给上帝吧。

凯瑟琳·赫本成名以前，有一场非常关键的演出，正是这场演出，使她一夜之间闻名世界。在她演出的前十几分钟里，她感受到了压力。她感到紧张，呼吸急促，觉得自己无法演出了，所有她知道的减压方法她都试过了，她认定自己的嗓子出问题了。

她告诉医生说，她觉得自己要瘫痪了，几乎没有办法移动。

医生也注意到了她的变化，关切地问：“你怎么了？”

“我突然感觉非常害怕，四肢无力，感到前所未有的紧张，这一次的演出跟以前大不相同。”凯瑟琳说。

“没关系，”医生安慰道，“你是一位实力派的演员，你只是有点紧张，一定能克服的。正好我这里还有种新药，可以克服情绪紧张，效果很好。”

接着，医生从药箱里取出针管和一小玻璃瓶药水，并用针管给凯瑟琳注射了药水。

医生做完一切后，向凯瑟琳保证道：“这是一种特效药，效果会又快又好。慢慢坐下，不要想观众、想演出，你就会放松。”几分钟后，凯瑟琳真的平静下来了。

“太谢谢您了，这药效果真的很好。”几分钟后，凯瑟琳高兴地说。

演出开始后，凯瑟琳信心百倍地上台，赢得了观众热烈的掌声。后来在庆功会上，医生过去向她道贺：“恭喜你，这是你最精彩的一次演出。”

“谢谢您。”凯瑟琳说。

“不，你不要感谢我，你应该感谢你自己，我没有做什么。你知道吗？演出前我只是给你注射了一支生理盐水，没加任何药物。”医生说。

忧虑不需要任何药物就可以治好，可见，忧虑纯粹是人的心理作用。你是否快乐，往往就在于你是否当了忧虑的俘虏。法国小说

家乔治·桑说：“心情愉快是肉体和精神上的最佳卫生法。”马克思也说过：“一种美好的心情，比千服良药更能解除生理上的疲惫和痛楚。”很多事情都不会因为我们的意志而改变，与其沉浸在不必要的忧虑当中，不如快快乐乐地过好当下的每一天。

有一位商人，是制作各式各样成衣的，有一段时间经济危机，商人为生意日渐低迷而终日郁郁寡欢、愁眉不展，每天晚上都不能好好睡觉。他的妻子看到丈夫日渐憔悴，就建议他去看看心理医生，他也听取了妻子的意见，希望从心理医生那里得到解决的方法。

医生见他精神萎靡，双眼布满血丝，便问他：“你怎么了？失眠了？”为失眠所困的商人说：“是呀，真叫人痛苦不堪。”心理医生开导他说：“别急，这没什么！你以后如果再睡不着，就数绵羊吧！”商人听后，道了声谢就回去了。

一周后，他又来到心理医生的就诊室里。他的双眼依然布满血丝，精神更加萎靡了。心理医生看到商人，非常吃惊地说：“你有没有照着我的话去做？”商人有气无力地回答说：“当然是照着你的话去做了呀！我每天晚上都数到三万多头呢！”心理医生不解地问：“数了这么多还是不能入睡？”商人回答说：“本来是有了一点睡意，但一想到三万多头绵羊的羊毛一定能卖很多钱，不剪太可惜了，我就睡不着了。”心理医生接着说：“那你剪完了羊毛总可以睡了吧？”商人很无奈地说：“羊毛剪完了，问题又来了，这么多羊毛若制成了毛衣，又去哪儿找买主呢？你说我怎么睡得着。”

为未来早作打算并没有什么坏处，但是一旦超越了分寸，做出杞人忧天的事来岂不是很可笑？有些事想得太远，就成了一种无形的压力，会给我们带来许多不必要的烦恼。

忧虑甚至会使强壮的人生病。在美国南北战争的最后几天中，格兰特将军发现了这一点。故事是这样的：

格兰特围攻里奇蒙德有九个月之久，李将军手下衣衫不整、饥饿难忍的部队被打败了。眼看战争就要结束了，李将军手下的人放火烧了里奇蒙德的棉花和烟草仓库，也烧了兵工厂，然后在烈焰笼罩的黑夜里弃城而逃。格兰特乘胜追击，从左、右两侧和后方夹击南部联军，而由骑兵从正面截击，拆毁铁路线，俘虏了运送补给的车辆。

由于头痛难忍并且眼睛半瞎，格兰特无法跟上队伍，就住在了一个农家。“我在那里过了一夜”，他在回忆录里写道，“我把两脚泡在加了芥末的冷水里，还把芥末药膏贴在我的两个手腕和后颈上，希望第二天早上能复原。”第二天清早，他果然复原了。可是使他复原的，不是芥末药膏，而是一个带回李将军降书的骑兵。“当那个军官到我面前时，我的头还痛得很厉害，可是我一看到那封信的内容，我就好了。”格兰特说。

显然，格兰特是因为忧虑、紧张等情绪上的原因才生病的。一旦他在情绪上恢复了自信，想到他的成就和胜利，他的病立刻好了。马克·吐温晚年时曾经感叹：“我的一生太多时候在忧虑一些从未发生过的事。没有任何行为比无中生有的忧愁更愚蠢的了。”我们没有必要背负昨天的烦恼，预想明天的忧愁，开心、快乐地把握当下才是最明智的选择。

每个人都有自己的快乐外套

每个人都有自己的快乐外套，你的快乐外套在哪？你可以从清代人石成金的《莫恼歌》中找到：“莫要恼，莫要恼，烦恼之人容易老。世间万事怎能全，可叹痴人愁不了。任何富贵与王侯，年年处处埋荒草。放着快活不会享，何苦自己寻烦恼。莫要恼，莫要恼，明日阴阳尚难保。双亲膝下俱承欢，一家大小都和好。粗布衣，菜饭饱，这个快活哪里讨。富贵荣华眼前花，何苦自己讨烦恼。”看看想想，你的快乐外套在哪？

很多人不停地追逐着名、权、利，追逐着所谓的快乐，但实际上，快乐就掌握在我们自己的手中，能不能穿好自己的快乐外套，关键在于我们如何取舍。那些为名为利、为权为位而不停地苦求的人，只会因机关算尽而苦恼，因患得患失而坐卧难安，不会享受到真正的快乐。

快乐存在于日常生活中细小而平实的琐事中，就在我们的身边。它来自于对自身存在和生活状态的满足，不管呈现出来的状态是什么样子的，也不管别人怎么看待这种状态，只要我们自己沉浸于此，我们就是快乐的。

古时候有一位国王，虽然拥有至高无上的权力和财富，也很受广大臣民的拥护和爱戴，但他并不觉得自己是快乐的，反而总觉得自己被许许多多的烦恼困扰着。不久之后，这位国王得了忧郁症。全国所有著名的心理医生都被请来，为国王看病。会诊

后，全体医生通过讨论决定，只要给国王穿上一件快乐的外套，病情就会痊愈。此时问题又出现了，所有的医生和大臣都不觉得自己是快乐的。万般无奈，国王便派一位大臣去全国各地寻找一个觉得自己快乐的人，然后将他的外套拿回来。

这位大臣领旨之后，马上启程了。他逢人便问："你觉得自己快乐吗？"谁知听到的答复都是"我觉得自己并不快乐"，因为他们不是觉得自己没有足够多的钱，就是觉得自己没有足够大的权势，或者得不到别人的关爱……

大臣走遍了全国各地，询问了成千上万的人，没有一个人觉得自己是快乐的。就在他心灰意冷，准备打道回府的时候，突然从山冈上传来一阵歌声吸引了他。歌声中充满了快乐的音符，唱歌的人一定是一个快乐的人。他这样想着，便循着歌声往山冈上走去。唱歌的人是一个樵夫，他抱着一捆刚打下来的干柴，上身穿着一件又薄又破的衣服，一边慢悠悠地走着，一边快乐地唱着歌。

大臣有些意外，试探着开口问道："你觉得自己快乐吗？"

"是的，我觉得自己很快乐。"樵夫说。

"你的生活很安逸吗？你所有的愿望都已经实现了吗？你从不为明天的事情发愁吗？"大臣问。

"是的。你看，今天的阳光多么温暖，风儿和煦地吹着，我肚子不饿，口也不渴，天空多么蔚蓝，还飘着几朵白云，我一个人在这山上，草是这么柔软，除了你不会再有人来打搅我，这一切都让我觉得是如此的惬意和舒服，怎么还会觉得不快乐呢？"

樵夫说。

“你真是一个快乐的人。请将你的外套给我，让我把它献给国王，如果治好了国王的病，你将得到重赏。”大臣说。

“外套？我从来不用穿外套。”樵夫说。

每一个人都希望自己能够快乐，可目光总是放在那些不能实现或无法挽回的事情上，于是在他们的心里，快乐不是明日黄花，便是远方遥不可及的美景，生命也因此在他们的瞻前顾后之中匆匆地过去了。或许有一天，他们会在某一刹那间突然发现，其实这一刻的自己才是快乐的——可惜这一刻的快乐却因为漠视，只能再次变成他们记忆里的落叶。大多数的人都会犯这样的错误，总是喜欢回味或憧憬快乐，却往往忽略了快乐此刻正披着露珠、散发着清香站在他们的身旁。

其实，我们每个人都有一件快乐外套，只是有些人看得见也用得上，而有些人看不见更用不着。快乐与否，往往就在于能不能给自己披上这件快乐的外套。

一天，庄子身穿破衣裳，脚穿着旧草鞋去见魏王。魏王见庄子这身奇怪的打扮，就问庄子：“先生，您今天怎么这副打扮？以前从没见到您这般狼狈。”庄子回答道：“我狼狈吗？我只是穷一些而已。让人狼狈的是道德上不端，而我穿着破衣草鞋，只是穷而不是狼狈。”庄子说完，就若无其事地走了。

还有一次，楚王派使者去说服庄子做楚国的宰相。庄子正在濮水边钓鱼，对一般人而言，这可是个千载难逢的好机会，做了宰相，就名利双收了。可庄子听了使者的话，却不为所

动。使者问他为什么，他用一个巧妙的故事回绝了使者。庄子说："我听说在楚国有只神龟，三千多年前就死了，但它还是被人们装在竹篮里，盖上麻巾，安放在宗庙的大堂之上供奉着。你想，这只龟是想死后让人供奉呢，还是想活着在水中曳尾而游呢？"使者回答说："当然是活着了。"于是，庄子说："知道这个道理，你们就可以走了！我宁愿贫困地生活一生，也不愿被名利尊荣所累，损害生命。你们不要玷污我的名声，我以不做官为快乐。"

自甘贫穷、逍遥快乐一生，也是庄子对生存方式郑重而明智的选择。庄子以这种超脱的方式度过了自己清贫而洒脱、快乐的一生，留下了许多值得我们称颂学习、富有哲理的故事。

今天的人们，常常抱怨活得太累，实际上这种累都是我们自我的，是贪念和欲望让我们背上了无形的枷锁，使我们沉浸在痛苦之中，而真正拥有快乐的人，往往能珍惜自己既有的快乐。孔子说："饭疏食饮水，曲肱而枕之，乐亦在其中矣。不义而富且贵，于我如浮云。"可见孔子对快乐的理解只是饿了吃粗粮，渴了喝白水，困了就将胳膊弯着当枕头，人生的乐趣也就在这中间了。可见，每个人的身边都不会缺少快乐的元素，而是缺少发现快乐的眼睛。因此，我们不必总置身于财富、名利、权贵的边缘，苦苦追求那些得不到的东西，而是要发现自己的那件快乐外套，这样，才能让我们尽享人生的快乐。

你不绑架烦恼，烦恼也不会绑架你

你不给自己烦恼，别人也永远不可能给你烦恼，所以印度大文豪泰戈尔说：“世界上的事最好是一笑了之，不必用眼泪去冲洗。”英国大戏剧家莎士比亚说：“我愿意扮演一个小丑，在嘻嘻哈哈的欢笑声中老去；我宁可用酒温暖胃肠，不要用悲哀的呻吟声去冰冷自己的心。”在这些伟人的眼里，你不绑架烦恼，烦恼也不会绑架你。

生活中有太多不值得我们去计较的事情，只要我们能够以一种平和的心态去面对生活中的一些琐事，那么，我们就会享受到生活本应有的快乐与幸福。把事情看远，把问题看透，把人看准，把万物看淡，遇事看开，发挥你的智慧，以一种豁达超然的心态处世，小事就不会给你带来烦恼。

蓝天大学毕业时，只身一人到北京打拼，通过努力，终于在一家大型合资企业稳定下来。经历了许多坎坷，忍受了不少委屈，他终于拥有了自己想要的工作和生活。可是最近，他和公司内的一位同事产生了一点矛盾，搞得他整天精神恍惚、压力重

重。于是他打电话向朋友诉说，朋友告诉他，想想当初刚毕业的时候，一个人打拼事业是多么的艰难，想想自己吃的那些苦，这又算什么呢？为什么一定要把它记在心上呢？想办法解决，解决不了，就忘记。他顿时大悟：是啊，有没有矛盾，关键是自己怎么看。总喜欢烦恼的人，大都是把困难放大的人。其实，只要我们仔细地想一下就会知道，那些我们曾经经历的坎坷与挫折是多么的微不足道。苏格拉底说过，聪明人并不一味追求快乐，而是竭力避免不快乐。

滑稽明星斯格特小时候因为有个大鼻子，在学校被同学们嘲笑为“大鼻子斯格特”。他为此很自卑，整天闷闷不乐，从不和同学们一起玩，集体活动也从不参加。没事他就看室外的风景。数学老师玛丽亚注意到了整天忧郁的斯格特，有一天下课后，她发现斯格特又趴在窗户前，于是她就走到斯格特身边问：“你在看什么呢？”“有个人埋了一条小狗，多可爱的小狗啊，它真可怜。”斯格特悲伤不已。“这情景太让人伤心了，不如我们到另一扇窗户那儿去看看吧。”玛丽亚拉着斯格特的手来到另一扇窗户边，她推开窗子问道：“孩子，你看到了什么？”

窗外是一个花坛，花坛里的花在阳光的照射下显得格外灿烂芬芳，斯格特的心情豁然开朗，所有的悲伤一扫而光。

“孩子，你看，你选错了你应该打开的窗户。”玛丽亚指指窗外的美景，抚摸着小男孩的头说，“你没发现吗，其实你的鼻子很可爱，至少我是这么认为的。”

“但大家都笑我啊。”小男孩还是很难过。

“你可以换一扇窗户的，你可以试着向大家展示你鼻子可爱的一面啊。”玛丽亚说。

不久，学校举行了一次小型话剧演出，玛丽亚鼓励斯格特扮演一个很适合他的角色。在玛丽亚的帮助下，斯格特的演出获得了成功。在演出中由于他的大鼻子而博得满场喝彩，学校里的每个人都知道了这个大鼻子小明星。后来，斯格特成为好莱坞最受欢迎的滑稽明星之一。当我们因窗外的景物烦恼时，是否想过要换一扇窗？换一扇窗，也许你就会看到别样的风景；当我们陷入困境、走投无路时，你是否想过换一种思维方式，换一种态度，也许你会因此而开启成功的大门。

经常有人无奈地感叹：“使我们不快乐的常常是一些芝麻小事。我们可以躲开一头大象，却躲不开一只苍蝇。”在人生的道路上，面对重大危机，人们往往能够勇敢地面对，稳妥地解决，却常常会被生活中的芝麻小事弄得焦头烂额。

人生的状态有两种，要么快乐，要么痛苦，每个人都有权利对自己的人生做出选择。选择前者吧，这样就不会再为生活中的小事而烦恼。生命其实很短暂，为什么要让小事绊住我们前进的脚步呢？为什么要把如此宝贵的时光浪费在琐碎的烦恼中呢？善待自己，善待人生吧!

别人永远不可能给你烦恼，烦恼是自己给自己的。想想，那些令人发愁的事情，在遇到生命危险的时候，显得多么荒谬、渺小，无论什么时候我们都应该告诉自己：如果我还能有机会看见明天的太阳，我永远也不会再为那些小事烦恼了。

嫉妒来了，痛苦也跟着来了

有嫉妒心的人，自己没有能力做事，便尽量贬低别人的能力，希望别人也和他一样，或者用怀疑别人、诬蔑别人的办法，来诋毁别人所取得的成就。于是，因嫉妒而产生的种种痛苦便表现出来：或消极沉沦、萎靡不振；或咬牙切齿、恼羞成怒；或铤而走险、害人毁己……殊不知，凡此种种，只会给自己带来无穷无尽的痛苦。

当一个人发现自己不如别人时，不是去努力提高自己，而是贬低别人，这种行为便是嫉妒。嫉妒其实就是用别人的优点来贬低自己，嫉妒就是心灵的牢狱。德国有一句谚语："好嫉妒的人会因为邻居的身体发福而越发焦虑。"嫉妒来了，痛苦也来了。喜欢嫉妒的人，别人年轻貌美他嫉妒，别人有房有车他嫉妒，别人才华出众他嫉妒，别人工资高他嫉妒，别人的孩子聪明能干他嫉妒，别人的妻子漂亮他嫉妒，别人出国留学了他也嫉妒……于是，这样的人总是活在愤愤不平当中，人生的快乐又从何谈起？

这是一个在东南亚一带流传的关于嫉妒的寓言：

有一个人偶遇上帝，于是祈求上帝满足他的一些愿望。

上帝说：“我可以满足你的任何一个愿望，但前提是，你的邻家都会得到双份。”这个人高兴不已。但是，这个人有很强的嫉妒心，他想到：如果我得到一群牛羊我邻居就会得到两群牛羊了；如果我要一箱金子，那邻居就会得到两箱金子了；更要命的是如果我想要一个美女，那么邻居就会得到两个绝色美女……他想来想去，不知道提出什么要求才好，感到自己怎么做都不合适，因为邻居都会比他得到的多。他实在不甘心让邻居比他更占便宜。最后他一狠心，说：“上帝呀，你砍去我的一条腿吧，这样，我才会安心。”

一个人失去了一条腿真的会安心吗？未必——心残加上身残，他会因为嫉妒那些身体健全的人而多了一份痛苦。这个人本来可以有更好的选择，可是因为嫉妒，他失去了原本可以获得的快乐生活。这个人为什么不让上帝去掉他的嫉妒心呢？

我们总是习惯于嫉妒别人，却不懂得欣赏自己。每个人都有自己存在的价值，如果你嫉妒别人的生活比你快乐，那是因为你没有看到他们生活的另一面。也许，在你嫉妒别人的时候，别人也在嫉妒你呢。不盲目嫉妒别人，与他人做无谓的比较，好好数数上苍给你的东西，你会更加珍惜自己所拥有的一切。

卡耐基在《人性的弱点》中说道：“嫉妒就是这样的一把小刀，藏在心中，会刺痛自己；藏在外面，会刺伤别人。”我们一旦发现自己有嫉妒的心理，就要马上做出明智的决定，克服它，而克服妒忌心理最重要的方法则是先树立起自信心。只要有信心你就可以从以往的过失中振作奋起，并学会宽恕自己。

放弃妒忌这种可怕的心理吧！你可以像其他人一样拥有伟大。

迈克尔·乔丹是享誉世界的篮球明星，而他所在的芝加哥公牛队也是篮球史上最伟大的球队之一。乔丹除了拥有过人的球技外，其心胸也是许多人无法比的。

公牛队的新秀中只有皮蓬有希望超越乔丹，但乔丹没有因此而嫉妒这位最强大的对手，而是时常给他赞扬、鼓励。

在一次训练中，乔丹问皮蓬："投三分球谁厉害？"

皮蓬想也不想就说："你！"

"不，是你！"乔丹十分肯定。

当时有关部门统计过，乔丹投三分球的成功率比皮蓬略胜一筹，乔丹却对媒体解释道："皮蓬投三分球很有天赋，他动作规范、无人能比，而我在这方面还有很多弱点，以后他一定会胜过我。"

乔丹告诉皮蓬，自己扣篮常用的是右手，而皮蓬左右手都能，有时用左手还要好一些。这是连皮蓬自己都没有注意到的细节。正是乔丹博大的胸襟，使得全体队员树立起了信心并增强了凝聚力，于是公牛队取得了一场又一场的胜利。法国作家巴尔扎克说："嫉妒者受的痛苦比任何人遭受的痛苦都大，他自己的不幸和别人的幸福都使他痛苦万分。"所以，我们必须告别嫉妒，偶尔心中有一丝嫉妒的火苗，我们都要及时将其扑灭，绝不让嫉妒这一星星之火点燃，进而毁灭我们的灵魂。只有告别嫉妒，才能重塑一个更完美、更快乐的我。

忙碌起来，别让忧郁淹没了你

心理学家认为，人闲下来后，忧郁、恐惧、愤怒、嫉妒和攀比等情绪更容易袭击我们，它们会把原本进驻在我们大脑中平静的、快乐的思想和情绪都赶出去。别让忧郁掩埋我们，忙碌起来吧！这样你就可以把忧郁从你的思想中撵走，快乐还会回来。

很多人常常有这样的体会：莫名其妙的忧郁情绪，常常会在星期天等节假日闯入你的生活，你会感到孤独烦躁、心神不宁，心理学家称这种现象为“节日忧郁症”。

王智灵和丈夫结婚已经三年，丈夫在北京的一家公司任中层领导，两年前，丈夫的公司安排他每隔半年就到外地的分公司工作半年。刚开始分开的半年，王智灵有一种自由和快乐的感觉，家里少一个人，少了很多家事做，也少了很多陪丈夫出去应酬的时间，每到周末，她就和朋友们出去玩，这种日子过了两个月。

有一个周末，她那些关系好的朋友像约好了一样，都有各自的事情，她只好一个人在家。这天她干什么都没有兴趣，睡觉睡不着，看书、看影碟都看不下去，心里烦躁不安，出去走了一

圈，又觉得无聊，转身又回家上网聊天，说不了两句，又觉得无聊。她觉得这有点不像自己，平时上班的时候，她是多么希望周末赶快来，可现在她害怕周末，只要到周末，她就想出去，宁可跑到空无一人的办公室看着东西堆得密密麻麻的办公桌，也不愿意在家里待着。

为什么王智灵会产生忧郁情绪，原因就在于她太闲了，以至于被忧郁包围。要是人一直闲坐在那里发愁，就会产生一大堆达尔文称之为“胡思乱想”的东西。只要我们的大脑有一丝缝隙，“胡思乱想”这个传说中的“妖精”就有可乘之机，它会帮助忧虑思想占据我们整个大脑，会把所有快乐的感受都赶走，进而摧毁我们的意志，让所有行为都无法自我控制。

有一个探险家，15岁就跟着哥哥周游列国，15年里他们在探险过程中，拍摄了大量的濒危野生动物的影像资料。但是几年前，他们驾驶着自己的飞机飞越峡谷时，飞机撞到了山上，哥哥不幸遇难，而弟弟也从此瘫痪在床。半年后弟弟坐着轮椅整理探险时拍摄的影视资料并发表演讲。有人惊讶地问他是怎么做到这一切的，他回答说：“回想起过去我很恐惧也很悲伤，人总不能长时间活在这种忧虑中啊，我只有面对现实，让自己不停地忙着，这样就没有时间忧虑了。”是啊，让自己忙着，没有时间忧郁，这是把忧郁赶出心灵的一种好方法。为什么“让自己不停地忙着”能够把忧郁赶出去呢?

在心理学上有这么个定理：不论一个人多么聪明，他都不可能在同一时间想一件以上的事情。我们不可能既激动地想去做一些很令人兴奋的事情，又同时因为忧郁而停滞不前。

安马多次遭受到不幸。第一次他失去了五岁大的女儿，一个他非常珍爱的孩子。他和妻子难过极了。十个月后，上帝又赐给他们另外一个小女儿——而她只活了五天就死了。

接二连三的打击，沉重得让他无法接受。他吃不下饭，睡不着觉，整个人都快崩溃了。后来他找到了一个心理医生，他对医生说："我受不了了。"医生建议他吃安眠药，安马试了，可是没用，医生又叫他去旅行，可还是没有效果。他说："就像有一块石头重重地压在我的心口一样，使我无法呼吸。"那种悲伤给他带来的压力是一般人无法想象的。

一天下午，他呆坐在窗前独自难过，他四岁大的儿子，拉着他的胳膊说："爸爸你肯不肯为我做一个小木马？"安马心里一震：哦！我还有个小儿子。虽然他根本没有兴趣做任何事，但他还是答应了这个缠人的小家伙。整整一个下午，他才把那只玩具木马弄好，木马做好后，安马发现在做木马的这段时间里，他这一年来第一次有放松的感觉。

这个发现使他忽然醒悟过来。他想了很多，这也是他这一年来第一次冷静地思考。安马发现，如果忙着去做一些需要做的事情，自己就很难有时间再去沉浸在痛苦的回忆中了。所以他决定让自己不断地忙碌起来。

第二天晚上，安马巡视了每个房间，把所有该做的事情都记在小本子上。有好些小东西需要修理，如书架、楼梯、窗帘、门钮、漏水的水龙头等。叫人想不到的是，在两个星期以内，他竟

然列出了242件需要做的事情。

两个星期过去了，他完成了大部分事情。此外，他还参加各种社区活动。他忙碌得没有时间再忧郁了，按照他的话说就是，忙得简直没有时间想起痛苦的过去。

没有时间去忧郁，这正是英国前首相丘吉尔在战时每天要工作18个小时的时候说的。有人问他："你有这么大的责任，不忧郁吗？"他说："我太忙了，没有时间去忧郁。"萧伯纳把这些总结起来说："让人愁苦的原因就是，有空闲来想想自己到底快不快乐。所以不必去想它，在手掌心吐口唾沫，让自己忙起来，你的血液就会开始循环，你的思想就会开始变得敏锐——让自己一直忙着，这是世界上最便宜的一种药，也是最好的一种。"

两情若是久长时，又岂在朝朝暮暮

当婚姻的激情渐渐消退的时候，如果两个人知道如何及时地给婚姻一些补给，那么，婚姻生活就又会充满激情。任何夫妻，不管他们如何下决心长相厮守，都要及时给婚姻做补给，这样的婚姻生活才会快乐。

两个人相处久了，就会产生“审美疲劳”，所谓的“审美疲劳”，就是和爱人相处久了，他或她在自己的眼里不再潇洒或漂亮，对彼此来说，他或者她已经不再像当初那样有吸引力了。

不过，也有人将热恋时“永不分离”的誓言发挥到极致，在婚后总去追求“形影不离”，好像这才是“长相厮守”“永不分离”，这才能体现出婚姻的完美。其实，婚姻中的“长相厮守”和“永不分离”是两个人一生的承诺，它不局限于一时。给婚姻中的彼此留一点空间，适当地分离，才能给婚姻带来激情，才更有利于一生的“长相厮守”和“永不分离”。

从然和黄子林结婚已经五年了。结婚之前，他们就爱得天昏地暗，两个人发誓今生今世永不分离。婚后，他们似乎是实现了婚前的誓言，他们除了工作之外，几乎都在一起。工作上的应酬

能推掉就推掉，一下班就早早回来陪对方。双休日也变成了两个人的世界，他们从来都是在一起活动。从然不再和姐妹们逛街，黄子林也不再单独和朋友小聚。

最初，他们确实是过了一段甜蜜的日子，但不到两年，他们就觉得婚姻渐渐地寡味起来，但他们谁都没有说，或许是怕这种感受说出来伤对方的心，他们仍保持着形影不离的原状，只是在一起时少了一些共同的语言和亲昵的动作。

可是最近情况似乎更糟糕了，黄子林甚至懒得和从然一起逛街，他觉得老婆越来越难看，每天只知道忙家务，不懂得情调和浪漫。在家里看看眼前这个女人，头发蓬松，斑点、暗疮全堆积在脸上。他怎么也不相信，当初怎么会爱上这个女人。

从然也发现了生活中的不协调，黄子林的大男子主义思想非常严重，在家里几乎从不做家务。于是，两个人的生活变成了“小吵天天有，大吵三六九”，人们常说的“七年之痒”好像提前到来了。终于有一天，从然和黄子林同时说出了这样的话：“婚姻真的没意思，不如我们离婚吧！”可他们曾经那么恩爱，现在这么轻易地就提出了离婚，这好像不是他们想要的结局。可是，如果继续这样过下去的话，矛盾仍然存在，离婚又心存不舍，于是他们商量之后，决定暂时分开一段时间。

最初的几天，从然感到了充分的自由，终于可以做自己想做的事情。几天过去了，从然的心态也平和了很多，她开始觉得好像缺少了点什么，有时会不由自主地想到黄子林。

黄子林在和从然分开后，每天要么吃食堂，要么叫外卖，到后来吃什么都觉得索然无味了，他常在吃饭时想到从然。结婚这么多年，一直是妻子在打理这个家。一个女人，如果不是爱，还有什么能够让她五年如一日地为一个男人服务？黄子林对妻子的思念越来越强烈，一天，当他一个人在公司宿舍泡好一盒方便面后，一口都没有吃下去，而是想起了妻子在厨房给他做饭，他在一边捣乱的情景，那种温馨让黄子林在心里产生了一种渴望。那天晚上，黄子林给妻子打了电话。奇怪的是，从然听到他的声音时哭了。当天晚上，从然和黄子林在分开十天后终于又见面了，两个人都憔悴了许多，他们紧紧地拥抱在一起，像找回了失而复得的珍宝。

很多时候，婚姻有些沉闷，那是因为夫妻在一起的时间太多了，没有给彼此适当的自由空间。在那一次小别以后，他们突然意识到给彼此适当的空间能够增加感情，于是，他们就把小别当作调剂婚姻的手段，用他们的话说，这叫“让婚姻休假”。

“让婚姻休假”，不难看出，这种“休假”能让矛盾激烈的夫妻双方冷静下来，重新走上正常的生活轨道；这种“休假”能让趋于平淡寡味的婚姻生活重新荡起波澜，使婚姻生活充满激情。让婚姻“休假”，套用古人的话就是“两情若是久长时，又岂在朝朝暮暮”。

“升级”了，快乐就会降级吗

在很多人看来，有孩子了就没有了二人世界。生活中全是尿骚味和孩子的哭喊声。生活没有了浪漫，工作多了一份焦躁，理财又多了一份支出。于是，买玫瑰的钱去买尿不湿了，周末的聚会改照顾孩子了，两个人的闲聊变成了轮流演唱摇篮曲。难道孩子真的是两个人浪漫的终结者吗？不是的，只要你会经营，快乐就能够从二人世界直达三人世界。

“你们去玩吧，我要在家照顾孩子。”

“唉，昨晚孩子吵了一夜，今天困死我了。”

“孩子病了，我得请假回去照看孩子。”

我们常常会听到做了爸爸、妈妈的人这样说，他们似乎给没有结婚生子的人传达出这样的信息：有孩子了，快乐的生活也就终结了。

诚然，有了孩子以后夫妻二人的生活确实会发生很大的改变。首先，夫妻两个人的角色发生了很大的转变，一夜间他们就变成了孩他爹、孩他妈，肩上多了一份责任；其次，孩子出生以后，本来是很浪漫的二人世界，一下子就变成了孩子一个人的天下，两个人都忙着照顾孩子，再也没有工夫卿卿我我……所有这些，似乎是在宣告，浪漫的二人世界将从此结束，婚姻不再拥有激情，孩子在无意间成了浪漫的终结者。其实，很多人不是因为孩子而终结了婚姻的浪漫，而是他们有了孩子以后，对待婚姻生活的心态从此懈怠了下来，对婚姻的浪漫缺少了激情；另一方面，可能是夫妻双方的精力全放到了孩子身上，从而忽视了对婚姻生活的经营。

于是，很多人的感觉是，有孩子没浪漫了，“升级”做爸爸、妈妈了，快乐却降级了。因此，很多人选择不要孩子或晚要孩子，以免孩子终结二人世界的浪漫。孩子真的是浪漫的终结者吗？其实，孩子并没有那么可怕，相反，孩子还会给夫妻生活带来不一样的风景，甚至能给婚姻生活“增光添彩”，让婚姻生活趣味无穷。

首先，有孩子的家庭才是完整的。孩子是幸福家庭不可缺少的元素，一对没有孩子的夫妻，即使他们的生活过得再幸福浪漫，在他们的内心也会有一种遗憾。因此，不要以为是孩子冲淡了你们的婚姻生活，告诉你，有孩子时你会觉得他是“爱情的累赘”，没有孩子，却会成为爱情永远的伤痛。再说，如没有孩子的牵挂，婚姻也会变得很脆弱，家庭会不稳定，两个人的浪漫生活就无从谈起。所以，孩子的降生，是在填补夫妻的幸福婚姻生活，让家庭更完整，让爱情无缺憾。

其次，孩子能给婚姻生活带来不一样的感觉。有人以为，人

间的一切都是上苍安排好的。因为人们容易对婚姻生活产生“疲劳”，上苍就适时派一个“天使”——孩子，来到夫妻身边。上苍的目的，就是为两个人的生活带来另一番趣味。

男人会因为做了父亲而更像一个男人，女人则会因为做了母亲而更加“伟大”。四处飘扬的尿布和花花绿绿的小衣服，就像万国国旗，高高地招展。那是两个人爱的公告、幸福的标签。晚上，孩子睡在两个人的中间，不说夫妻两个人有什么亲昵的举动，就是同时看着孩子酣睡的可爱面孔，也能在两个人的心里泛起阵阵甜蜜，可以说，夫妻俩默默地欣赏孩子，就是在静静地享受浪漫。

第三，孩子是夫妻关系的调和者。人们常说“孩子是维系夫妻关系的纽带”，孩子是家庭矛盾的天然调解者，一个家庭，夫妇俩都在外面工作，很容易感到疲惫。回到家以后，希望得到家庭成员的安慰。天真活泼的孩子就是最好的“调剂品”，孩子无须有什么刻意的举动，一举手、一投足，就能给父母带来心理上的满足。就是孩子不说话，你只要看着孩子的眼睛，就会感到欣慰，孩子那透着天真的眼神会让人感到震撼。很显然，孩子是夫妻关系天然的调和者，他能让夫妻双方的矛盾得到及时地缓解。

孩子能给一个家庭带来很多好处，因此，并不是孩子影响了我们的浪漫，真正影响我们婚姻的，是我们自己。所以，有了孩子以后，夫妻双方更要学会自我调整。

在很多家庭里，有了孩子以后，妻子忙家务忙孩子、丈夫忙着挣钱养家，两个人每天都筋疲力尽，夫妻之间的交流越来越少，二人世界的浪漫不再有了。许多新爸爸都会有一个共同感受，自从有了小宝宝，妻子一心一意地扑在宝宝身上，对宝宝呵护倍至，疼爱有加，无暇顾及丈夫的存在。心态好些的新爸爸会自我调整，可是如果是钻牛角尖的新爸爸，那就很容易因为孩子影响到夫妻关系。另一方面，两个人在照顾孩子时，常会产生分歧而影响夫妻关系。比如妻子让孩子多穿，丈夫会让孩子少穿，妻子说穿这个，丈夫会说穿那个，妻子不让孩子吃零食，丈夫偏偏要给孩子买许多零食……两个人总是为孩子的事争论不停。

其实，如果没有第三个人来照顾孩子，夫妻俩就不能全凭着自己的意见办，尽量能尊重对方的想法，这样才会有一个平衡点。有孩子之后，夫妻俩更不要少了沟通，相反，两个人应该有更多的话题才对。看着慢慢长大的孩子，婚姻生活会有更多快乐的感觉。

总之，婚姻的浪漫，并不仅仅在于二人世界，孩子的诞生能给婚姻生活带来不一样的情趣。如果认为爱情只是二人世界的精彩，那么，你的婚姻迟早会失去光泽。

曲终人散，不妨在快乐中解脱

爱是什么？是奉献，是给予，是生死与共、不离不弃，很多人都忘了还有一种爱叫作放手。当理智告诉你们不能在一起的时候，不要再挽留什么，不要再鼓起勇气去相信“船到桥头自然直，车到山前必有路”。

爱有何意，情又为何物，有人终其一生守候已失的爱情；有人尝尽爱情的苦果，为爱情肝肠寸断；也有人想用眼泪来挽救爱情。纵然过去的一切是那样刻骨铭心，纵然你是如何对过去放不下，可是，请你记住你已经回不到过去，如果你认为痴心能换来回心转意，那你肯定是错了。有些人和事错过了，还可以挽回吗？事已成过去，人也在改变。何必执着地守候呢？

有句话是这样说的：“爱他（她），就抓紧他（她）；爱他（她），就放开他（她）。”很多人能读懂前半部分，可是就是不明白后一句话的意思。

其实，当你爱一个人的时候，你就要努力去追求，但当他（她）不爱你的时候，你就要任对方去寻找自己的快乐，不要因自己的介入而破坏了对方的快乐。

杨丹两年前因为赌气和男友分手了，但她的心里，一直还爱着他，她为那次分手后悔不已。当她今天与前男友邂逅之后，心中的爱更浓烈了。可是遗憾的是，前男友已是有妇之夫，自己也将嫁作他人。两个人在酒吧中相遇，他们一起聊起了过去，似乎又回到了从前，像是快乐的一对。在闲聊中，杨丹得知他现在很快乐，还有一个半岁的儿子。

杨丹明白，自己有与前男友破镜重圆的机会，但这破坏的不仅是对方的快乐家庭，还伤害了她现在的男友，对自己也不利。自己虽然能得到最爱，但那种爱却是很自私的。看到自己的前男友现在的快乐，杨丹心里有了一丝安慰。从此以后，她不再和前男友联系，因为她不想旧情复燃。杨丹心中的爱就这样慢慢地消散开去。

爱情之所以神圣，是因为两个人都愿意为彼此付出真情甚至生命。倘若一方退出，另一方就不要死拽着不放。一旦发现那棵树已经枯萎，就别再苦苦纠缠，你可以试着让自己变成一个爱情的乐观主义者，去爱情的森林，你就会发现爱情的森林里鸟语花香，一片繁荣景象，你可以从中选择一棵更适合你的树歇息。

面对失败的爱情，有的人充满了愤恨，恨被对方抛弃，恨被对方玩弄，恨对方不再爱自己……很多人在恨对方的同时，还对对方施以报复。一段失败的感情本来还有点凄美，能给自己留下几分美好的回忆，结果却因为怨恨闹得不欢而散。“没有无缘无故的爱，也没有无缘无故的恨。”是啊，感情失败后的怨恨，其实在骨子里还是因为爱，爱到深处即生恨。但凡此类怨恨者，大都是觉得自己付出的比较多，可从对方那里得到的比较少，这样两者就显得不对

等。从某种意义上说，怨恨，就是觉得自己受了伤害、吃了亏，所以就想用攻击对方的办法来求得两者的一个平衡而已。

刘萌萌与前男友张羽是大学同学，大学毕业后，张羽开始从事销售工作，刘萌萌则继续深造，而后进入外企工作。两人朝着各自的事业目标奋斗。但就在谈婚论嫁之时，这段感情却突然发生了变故。张羽向刘萌萌提出分手的理由是：由于刘萌萌的“三高”，即学历、工资、职位都相对较高，自己感受到了莫大的压力，无奈只好选择分手。

无论刘萌萌如何苦苦哀求，张羽都像是铁了心一样。刘萌萌不得不忍痛结束了这段长达十年的感情。事后她才知道，张羽在与她交往的同时，就背着她和另一个女孩交往了大半年。后来，两人结婚了。

十年深情一夕间便付诸流水，刘萌萌深感挫败。刚分手那会儿，她每天都会给张羽打去十几个电话。起初，张羽还会接听，她便在电话中对其破口大骂，每次张羽都会挂断电话，后来干脆就不再接听。之后，她便不停地给张羽发短信，其内容不是责问就是痛骂。发泄完后，无法走出爱情阴影的她又会忍不住再发去一些道歉的信息，检讨自己的冲动，如此反复。

不仅如此，刘萌萌还通过张羽的博客，找到了他妻子的博客地址，经常在她的博客上留言，不是回忆与张羽交往时的浓情蜜意，就是怒骂二人串通一气，不这么做心情就很不舒坦。

一厢情愿的执着是一种包袱，放弃了这个包袱的人就可以解脱。人不可能完美，快乐也不会有满分。如果自己没有能力拥有所有，那么也没有权利要求得到所有，若没有这样的自知之明，只会苦了自己也为难了对方。

你可以记住过去的美好，但那些毕竟已经过去了，那一切已不属于你，它只会让你徒留伤感。即使爱人已经离去，但是只要心中有爱，快乐就不会遥远。

面对感情的失败，要学会消化留下的爱与恨。把爱珍藏在心里，当作自己最美好的回忆；把恨消除掉，让曾经的美好占据自己的心，学会坦然面对爱情的失败，这样，你就会感到快乐。

婚姻，是因为幸福而结合，因为痛苦而解散。可是很多人只懂得为结合而开心，不知道为解脱而快慰，因此，当不得不离婚的时候，相互之间不是憎恨就是指责。殊不知，婚姻就是缘到而聚，缘尽而散。从某种程度上讲，结婚和离婚最终都是指向幸福，只不过一个是走向幸福，一个是逃离痛苦。所以，既要学会在快乐中结合，也要学会在痛苦中解脱。

婚姻是一种以感情为基础，通过法律来约束的男女关系，这种关系很特别。当两个人在一起的时候，往往只显现出感情来，法律在其中所扮演的角色几乎可以忽略不计。可是，当两个人决定分道扬镳的时候，尤其是涉及一些利益问题的时候，法律就会出演重要的角色。这个时候，感情在两个人之间已经荡然无存了。

确实，不是所有的婚姻都能持久，但是，当两个人决定分手以后，不应让离婚的阴霾永远笼罩在两个人的心头，否则，你们的离婚就是错误的选择，或者说离婚的阴影总是挥之不去的话，离婚后就不会获得新的快乐。

汤姆·克鲁斯与妮可·基德曼离婚后，并没有像一些离了婚的夫妻那样把关系弄得很僵，而是保持了融洽的关系。离婚后，汤姆·克鲁斯仍然盛赞妮可·基德曼的美丽与优秀，他们还会利用假期去探望从福利院收养的孩子，和孩子们一起享受天伦之乐。虽然妮可·基德曼对这段感情还是有一些不能释怀，但是她仍然以优雅、平和的姿态，面对了一切。因此，媒体评价他们是最“阳光”的离婚夫妻。

现实中很多夫妻会因为离婚而仇视对方。这种状况，一般都是其中的一方本不愿意离婚，但是在不得不接受现实之后，对以前的爱人和婚姻都充满了仇恨，离婚后向所有的朋友控诉对方的不良、不忠，言语之间透着仇恨……刚开始时因离异而产生的仇视情绪，任何人可能都会有一些，但如果长此以往，对自己的健康和生活都会不利。其实，没有必要在离婚后还拿那段不幸的婚姻来惩罚自己。再说了，不幸婚姻的结束，往往又是寻找新快乐的开始，心怀怨恨，有时候意味着对过去还有一份期待和牵挂，这种以前的婚姻留下的不良情绪若得不到彻底的清除，将会成为第二次婚姻幸福的最大障碍。

因此，离婚了，不管错在哪一方，都要以一种阳光的心态对待对方，这样才能过得更加快乐。那么，用什么样的心态对待你的前任爱人才算“阳光”呢？

首先，分手也浪漫。许多人走进婚姻是为了爱情能够永恒，所以离婚对很多人来说都是一件痛苦的事情，但是，也不是所有的离婚都意味着失败。因为当离婚来临的时候，我们会更清醒地去反思自己在感情和婚姻中做得不妥的地方，在反思过程中，人的心智会变得更加成熟。当自己能从失败的婚姻中汲取到教训时，离婚的人也会有信心和热情投入下一段新的感情，更有能力把未来的感情世界经营得更好。因此，离婚虽然结束的是一段感情，但也意味着新的快乐的开始。既然结婚时，为了百年好合而举行过一个仪式，那么在离婚时，为什么不为双方未来的幸福而相互祝福，也试着举行一个仪式呢？在离婚时，双方可以共进一顿晚餐，或向对方说句感激和祝福的话："感谢你这么多年陪伴我、照顾我，祝愿你早日找到自己的情感归宿。"这样的分手，会令双方都以一个阳光的心态迎接新的生活。

第二，不做夫妻，做寻常朋友，这样的处理方式也是有胸怀和气度的表现。不能做夫妻，却有可能做朋友，因为往日的夫妻关系使得两人对彼此非常了解，两个人亲近过、相爱过，可能还会有儿女将他们永远联系在一起，离婚了，不做朋友那简直就是人生的一大损失。这时，你会觉得你们的相处是那么轻松，再也没有怨恨，再也没有抱怨；对方的生活不再与你有关；可以根据自己的心情偶尔问候一下对方；生日、情人节不再为送对方什么礼物而为难；在你需要帮助的时候，说不定对方还能及时地出现在你的面前……一切都显得那么快乐。

第三，拥有一份从容、坦然的心态。离婚并不是简单的感情的结束，一段婚姻往往会留下很多事需要处理，有的人可能在婚姻中感到了太多的痛苦，所以离婚后就当从未认识过对方，似乎这样才能够开始新生活。其实，大可不必这样做。因为这样做只会让自己

更难从以前的婚姻中走出来，只会让自己终日沉浸在痛苦中，只有从容、坦然地面对离婚，才能早日走出痛苦。

两年前，了了和大壮离婚了，离婚的原因是因为婆婆嫌了了不能生育，面对婆婆的刁蛮和老公的懦弱，了了没有对自己的婚姻做太多的坚持。在办完离婚手续回来的路上，了了还是让大壮骑车送自己回来，然后和四邻告别，并用车子装上属于自己的东西，就默默地离开了。不久，了了再次走进了婚姻的殿堂。可是，虽然了了已另嫁他人，但每次听到前婆婆生病的时候，她总会来看望；前夫的妹妹结婚，了了照样参加了婚礼，对于自己曾经被他们抛弃，了了显得很坦然。所有的人都为她的大度而感动，也包括她原来的婆婆，婆婆知道是自己对不起原来的媳妇了，但一切都晚了。

离婚会把两个曾经同床共枕的人分开，可是，虽然他们的关系从法律的角度上讲是彻底分开了，但很多时候还是会有一些接触，可能是因为父母，可能是因为孩子，可能是因为朋友……这些是不可避免的事。总之，用阳光的心态面对离婚，离婚就不再是一件痛苦的事了。

对家庭不满意的人，在家外也未必能快乐

古语云："家和万事兴，家齐国安宁。"可以看出，家庭具有十分重要的社会意义，对于个人而言也是不可或缺的。人生活得快乐与否与家庭幸福关系最大，而家庭幸福之道则在于重视你的配偶、子女，他们才是家庭快乐之源。

在整个社会中，家庭是社会的细胞，是社会稳定的基石。对于个人而言，家也许只是一桌美味的佳肴，一句轻声的问候，一个温暖的拥抱……不管加班到多晚，也不管走多远，我们的心都在想着回家的路。因为一个温馨的家是心灵的港湾、人生的驿站，是事业成功的动力。

家多好啊，但有的人却不想回家，家里没有了爱，感觉不到温暖，看不到希望，这样的家也就形同虚设。家家都有一本难念的经，要念好这本经确实需要技巧。

有一个成功的商人，家庭非常幸福美满，他的家里每天都充满了欢声笑语。朋友问他秘诀在哪里，他说秘诀就在离他家不远的一棵梧桐树上。原来，他不想每天带着疲惫的身躯和满脸的愁容回家，于是就在那棵梧桐树下休息。远远地，他就看到了自

己家里明亮的灯光，还依稀看到妻子在准备晚餐，孩子们则绕着妻子追逐打闹。他看着看着，常常会忍不住笑起来，可是工作上的烦恼他又能对谁说呢？于是他就把所有的烦恼对着大树说了一通，感觉心情舒畅多了。从那以后，他每天下班就对着大树倾诉自己的烦恼，卸掉烦恼后开开心心地回家。

卸掉烦恼，带着快乐回家，家里自然充满笑声。试想一下，如果你带着烦恼，满脸愁容地回到家里，家里的人会开心吗？他们会被你的不良情绪所感染，他们也不会快乐。所以，请卸掉烦恼，脱去包袱，带着快乐回家。

家庭生活是一门非常深奥的学问，处理好了我们就会从中得到幸福和快乐，处理不好，我们的生活就会被弄得一团糟。

著名作家海明威出生在美国伊利诺伊州芝加哥郊外的一个医生家庭，他的作品享誉全世界，他曾获得过诺贝尔文学奖。他的那篇塑造了铮铮硬汉形象的小说《老人与海》更是家喻户晓。海明威一生获得了很多荣誉，但他的爱情和婚姻生活却并不美满。

海明威一生经历过四次婚姻，尽管婚姻出现问题的原因是复杂多样的，但最主要的原因恐怕还是海明威那骄傲、强硬、一向习惯女人服从他的性格造成的，他没能正确处理好爱情与事业的关系。

海明威有一个妻子叫哈德丽，有一次，海明威去外地办事，哈德丽打算有空去接他。哈德丽知道海明威一有时间，肯定会写他未写完的小说。于是，她就带上海明威所有小说的手稿，并把它们都装在了一个手提箱里。不幸的是，这个箱子却在火车上被人偷走了。

因为这个丢失的手提箱，哈德丽都快急疯了。她一见到海明威，就哭了起来，并泣不成声地连说：“对不起！”海明威并没有安慰她，他感到非常恼火，他一直想成为一个伟大的作家，对于哈德丽的这次过失他感到无法原谅，即使她是他的妻子，也不行。不久，他们两人就离了婚。

海明威的另一任妻子波琳为海明威生下了两个孩子，在两个孩子出生时波琳都遭遇了难产，可是海明威不但不关心、陪护他的妻子，反而因为厌烦孩子的哭闹，有几次都把哭闹的婴儿和虚弱的波琳扔在家里，自己去打猎、钓鱼。

海明威的霸道、自私，注定了他不会有美满的婚姻。

在我们的家庭生活中，要多一点理解，多一点包容，多一份爱心，给对方留一些自由的空间，学会彼此沟通。做一个爱家的人，用心去营造一个美满的家，家才会给我们带来温暖，家才会成为永远温柔的港湾。

喋喋不休的抱怨是婚姻的毒药

抱怨就像一瓶无色无味的慢性毒药，伤害着我们的婚姻生活，甚至在不知不觉中使我们的婚姻走向毁灭。

为什么会有这么多的抱怨呢？是抱怨者缺乏爱心和包容，内心产生了不平衡感。抱怨就是对不平衡的一种发泄，不理会对方的感受，将自己心中产生的怨气，毫不克制地撒到对方身上。抱怨的人往往都是不自信的人，他们只是想从抱怨中获取一丝安慰。

抱怨看似不起眼，它只是说者的几句不经意的话，但如果它们无休无止，就会给对方的自尊心带来极大的伤害，甚至能摧毁一个人。时间久了，说得多了，说者会养成一种自己都注意不到的习惯，说者虽然无意，却给对方带来无尽的烦恼，甚至会成为一种杀人不见血的毒药。也许有人会说这是危言耸听，其实抱怨给婚姻带来的危害远远大于奢侈、浪费、懒惰等行为。

俄国大文豪托尔斯泰就深受其害，当他的夫人明白这个道理的时候，已经太迟了。她临死前还在忏悔，因为她明白了，是她无休无止的批评和喋喋不休的抱怨害死了她的丈夫，她也因此后悔不已。

托尔斯泰是历史上最著名的小说家之一，他的两部名著《战争与和平》及《安娜·卡列尼娜》在文学界绽放出灿烂的光芒。按理说能嫁给托尔斯泰，应该非常幸福才是，当时托尔斯泰的名誉无人能及，他倍受尊敬，仰慕他的人排满了整条街道。除了名誉，他们还拥有财产、地位、子女，似乎没有人能像他们那样拥有完美的生活了。但托尔斯泰的夫人喜欢奢华，渴望显赫，还想拥有更多的金钱，而托尔斯泰却对此不屑一顾，甚至认为他们所拥有的金钱和地位都是罪恶。由于婚姻存在这样的矛盾，她每日抱怨、无理取闹，甚至以死要挟……他们原本幸福、美满的生活被她折磨得遍体鳞伤。以至于48年后，他连看她一眼都不愿意。

他们经常会为是否收取稿费这一问题发生争执，她像疯子一样哭闹、咒骂，歇斯底里地在地板上打滚，有一次她拿着一瓶鸦片烟膏，以自杀威胁，还有一次她发誓说不活了，要跳井。

托尔斯泰82岁的时候，他再也忍受不了妻子给他带来的痛苦折磨，一天晚上，他偷偷地离开了妻子，逃离了让他心力交瘁的家，他的家人四处寻找，但不知他去了哪里。后来，托尔斯泰由于寒冷而得了肺炎。临死前，他也不愿见妻子。

托尔斯泰及其夫人婚姻的悲剧，就是由于无休无止的唠叨和歇斯底里的抱怨造成的。也许有人认为，有些时候她的抱怨并不算过分。可是，就算是应该的，也不得要领。这样究竟对她有什么好处呢？只会把事情弄得更糟糕。

也有人说，我的抱怨是善意的，我是想用抱怨这一激将法来

迫使他奋斗，进而走向成功。不能否认现实生活中确实有这样一些人，他们把抱怨当作一种变相的鼓励，但是，有谁会真的喜欢这种方式的鼓励呢？

这种方式也许有用，对方在这种方式下可能会被迫奋斗，但以这种方式生活的人们又有什么幸福可言呢？你不妨扪心自问，你想要的到底是什么，是对方的成功，可以满足你的物欲和虚荣；还是真正幸福快乐的婚姻。

从结婚开始，成华侨的妻子就对他非常不满意。虽然那时候他只是一个普通的推销员，但他对自己的工作充满热情。每当他兴高采烈地回到家里，准备把一天的业绩告诉妻子，并希望从妻子那里得到赞赏和鼓励时，迎接他的总是一番冷嘲热讽。

尽管不断受到嘲笑，成华侨还是努力奋斗着。后来他的事业越做越大，但他的妻子还是不停地唠叨和抱怨，有一天，他终于无法忍受下去了，就和她离婚了。

现在的他，已经有了自己的销售公司，也重新娶了一个欣赏、支持他的女孩。原先的妻子根本不明白丈夫为什么会离开她，直到现在她还在继续抱怨："当年我为他省吃俭用，跟他辛苦了那么多年，现在他有了钱，就去找更年轻的女人。真是个没良心的坏东西！"

其实，导致成华侨离开她的原因是她的唠叨、抱怨和挑剔，而不是因为另外的女人。试想一下，一位一直瞧不起自己丈夫的妻子，怎么会得到丈夫的喜欢呢？

有一句话说得好，一把枪套不住男人，抱怨更不行，那样只会让他的精神崩溃，离快乐愈来愈远。

两个著名的研究课题——盖洛普民意测验和詹森性情分析的研究结果都是：任何一种个性都不会像唠叨、抱怨一样给家庭生活带来如此巨大的伤害。另外，多项研究都表明，在丈夫眼中，妻子最大的缺点就是唠叨、抱怨。

病痛可以用药物治疗，而抱怨这种顽疾，医生和药物对它是不起作用的，想治好它，只能靠我们自己，你要知道任何人都不可能尽善尽美，你的丈夫或妻子也不例外。每天看着对方的缺点过日子，只会伤了对方，也痛了自己。我们要学会寻找对方的优点，并及时地给予赞赏。千万不要妄想控制和改造对方，这样你们的爱会消磨殆尽。

停止你的抱怨吧！这样，你们的爱情才会永葆青春。

涨价不涨薪，但我们可以涨点快乐

房价猛涨，菜价猛涨，一切都在猛涨，就是薪水不涨。快乐不是薪水说了算，关键是你对待生活的态度。心情好，即使吃粗粮、喝稀粥也会倍感快乐；如果你整天为加薪的事情发愁，即使你的薪水涨了再多，你也会觉得不够花。快乐是一种生活态度，想要快乐，你就可以快乐，这种快乐与薪水无关，和心态有关。

当今社会，“什么都涨就是薪水不涨”的抱怨声越来越多。物价迅速往上涨，本来就紧着花的可怜工资让人恨不能一分钱掰成两半花。这样的情况让人心灰、郁闷，甚至都失去了工作的兴致。

生活中有很多人对于工作的感觉是“单调、枯燥无味、辛苦”等等，只有极少数的人谈到他们的工作时神采飞扬，他们会自豪地告诉你，他们的工作速度如何快，超过了目标的多少，任务完成又达到什么样的水平。那种快乐溢于言表，他们是享受到了工作的乐趣。

表面上看，工作又忙又累，压力又大，“快乐”与“工作”

两个词好像没有什么关系，人们似乎只有在工作之余才能找到快乐。其实不然，工作中蕴含着许许多多的乐趣。只要我们树立一种信念，调整好心态，我们每一个人都能工作并快乐着，快乐并幸福着。

那么，我们怎样才能享受到工作的乐趣，做一个快乐的上班族呢？

在西雅图有一个闻名遐迩的派克鱼摊，那里有洋溢着快乐的“飞鱼”表演，那里是快乐的天堂！

西雅图的这个市场，和一般的市场没什么区别，但是，只要你走进市场，你就会觉得这儿确实有点与众不同。在市场的尽头，你会看见聚集了一群人，并且老远就可以听到他们的喊叫。走近一看，你会发现大家好像是在看街头表演。只见一个英俊的小伙子从鱼摊上拿起一条鲑鱼，转身就朝柜台上一丢，像唱歌般地大声喊：“鲑鱼飞到威斯康星！”柜台里的人接住鱼，同样地也大喊：“鲑鱼飞到威斯康星！”喊完，鱼就包好了，买鱼的主顾开心地接过“飞鱼”满意地离去。

这个热闹的地方就是派克鱼摊。鱼摊的老板约翰·横山是美籍日本人，25岁就开始在这里经营了。一开始，横山并不喜欢这个工作。后来，他看到鱼摊生意不错，于是就在另一边开了一家批发店。可是几个月后，批发店就破产了，甚至拖得鱼摊也濒临倒闭。横山和伙计们开会讨论经营鱼摊的秘诀。伙计们说快乐对顾客和自己都很重要，顾客因为快乐来鱼摊买鱼，伙计因为快乐使工作效率更高，于是，在伙计们的建议下，他们决定用“飞鱼

表演”的方式开展工作。

“飞鱼表演”使派克鱼摊一举成名。派克鱼摊的生意变得非常好。“现在的营业额比四年前多了近十倍。”横山高兴地说。

同行们向派克鱼摊取经，横山也因此组建了一家顾问公司，还带着伙计们到企业授课。派克鱼摊的伙计们不仅是卖鱼的高手，更成为让人快乐工作的专家。派克鱼摊的事迹被拍成教学录像带，还被翻译成十几种语言，成为美国诸多大企业的培训素材，按照派克鱼摊的故事写成的书籍《如鱼得水》一度登上畅销书排行榜。现在，你只要来到派克鱼摊，就会发现身旁有很多人

带着相机或摄影机，等着拍摄派克鱼摊的“招牌产品”——飞鱼表演。

有人曾笑着说自己白天是“让子弹飞”，晚上是“赵氏孤儿”，言外之意，就是说自己不是生活在忙碌中就是生活在孤独中。其实，我们完全可以改变这种生活模式。也许有人会说，改变这种生活模式很难，你有时间时，口袋里没有银子；等你有了银子，你又没有了时间。告诉你，生活的惬意不在于你拥有多少金钱和时间，关键在于你懂不懂得生活。会生活的人会用最简单的方式让自己放松，在浮躁喧嚣的现代社会中，建立专属于自己的心灵家园，在氤氲的暖香中，静静地享受生活的乐趣。

田雨在忙碌了大半年之后，终于得到了一个月的假期，她没有像其他同事那样整天泡在家里看电视，或者隔两天就找上一帮朋友东游西逛，而是去了一家茶艺馆专门学习茶艺。

以前在工作的空余，田雨也曾看过一些介绍茶艺的书籍，现在假期开始了，她就借此机会专心学习。刚开始学习茶艺还是挺辛苦的，田雨认真地向师傅学习茶叶的识别、冲泡等，并且积极积累实践经验，很快就进入专业状态。

每天她都以娴熟的手法泡茶，观其色、闻其香，再细细品上一小口，都会有一种清新、恬静的感觉。

很难想象，数天前，她还是一个急躁、忙碌的职场女强人，现在她恬静的面孔微笑着，给人一种可亲的感觉，就像是温婉的邻家女孩。

看到眼前这个茶艺娴熟的姑娘，已经很难与那个工作压力

大、整天忧心忡忡的女孩儿联系起来。茶艺不仅充实了她的假期生活，更让她的性格发生了变化。田雨自己则认为，茶艺是一种源于生活、应用于生活的艺术。生活虽然忙碌，工作也很繁重，但我们总可以抽出一点儿时间来感受一下艺术的气息，这样才能永远保持一种恬淡、悠然的心境和生活方式。

美国石油大王洛克菲勒曾对自己的儿子说："如果你视工作为一种乐趣，人生就是天堂；如果你视工作为一种义务，人生就是地狱。"

当你听到这句话的时候，也许会不由自主地想：我的工作一点意思都没有，累得要死还挣不了多少钱，简直是浪费我的时间。在这个世界上，只要你有欲望存在或者说你不能摆正心态，即使给你一份特别好的工作，时间一长，你照样会厌倦。摆正心态，即使你现在的工作不太理想，也不要一味地抱怨，试着在工作中寻找一些乐趣，也许它就会变得轻松许多。

不要让房子偷走了你的快乐

买不起房子，会生气；买不起车子，也会生气。可是，生气只能让你更加不痛快，绝不会让你的存款多起来。生活，不是去和那些不如意的事情去生气，而是去享受美好的部分，这样，你才会快乐。

“人生一世，草木一春”，短短的几十年，何不让自己活得快活、潇洒一点呢？但凡在外打拼的人，都想有个属于自己的家。于是，很多人无论挣多挣少，都开始计划攒钱买房。可是现实往往是这样：当你节衣缩食、辛辛苦苦地攒下足够买房的钱时，却发现房价涨了……从此以后，你每天都怨天尤人，责怪那只高不低的房价，弄得自己身心憔悴、疲惫不堪。可是现实就是现实，无论你怎么生气，房价也不会因为你的抱怨就往下跌。所以，与其怨声载道，把时间和精力都浪费在生气这件事上，还不如努力奋斗多挣点钱，早日实现买房的愿望。

张小涵和老公从老家来到北京，想要通过两个人的努力在这里安家落户，首要问题就是解决住房问题，所以，张小涵常常会和老公去看房子。他们的工作都还不错，省吃俭用凑个首付应该

没什么问题。

为了早点买到心仪的房子，除了正常的工作外，张小涵和老公有时还出去做兼职，他们相信他们很快就不用租房子住了。

眼看着买新房首付的钱就要攒够了，可是张小涵却发现现在的房价和他们之前看的房价差距太大了，才短短两年就涨了这么多。看到现在高涨的房价，夫妻俩望而却步。张小涵感到非常生气，以前那股狂热的工作热情也没有了，不仅节假日不出去兼职了，就连平时上班也不那么认真了。此外，张小涵最大的变化就是变得比以前爱唠叨了。当初说好和老公一起努力买房的她，现在似乎已经忘了当初的约定，心情不好的时候她总喜欢拿老公开涮，总说他没用，不上进，连个像样的房子都买不起。

老公知道她心里不舒服，就开解她说："你看，这么些年都坚持过来了，只要咱们再坚持坚持，就能买房子了。咱买不起两居室就买一居室，只要咱俩和和美美地过，再奋斗几年，咱就可以买大房子了。你整天生气房价也不会掉下来啊，干吗把自己整得这么累。这房价也不是咱们能够控制的，凡事想开一点。我就不相信，凭咱俩的实力连个房子都买不起。"听了老公的一番话，张小涵突然一下子想明白了：是啊，不管自己怎么抱怨、怎么生气，房价也不会跟随我的心情而变化，何必自己苦自己呢!

后来，他们不仅认真工作，还投资开了一家服装店。没过两年，他们就买了一套两居室的房子。

世上没有过不去的火焰山。生活总会给我们带来许多磨难，现在的年轻人常说，房子、车子、孩子是压在肩上的三座大山，不同的人遇到的磨难可能有所不同，但有谁敢说他一辈子都不会遇到什么磨难呢？遇到磨难你会怎么做？生气？那你就是一个愚蠢的人，生气是拿别人，的错误惩罚自己。再说生气能改变你的现状吗？做一个善待自己的人，试着绕开磨难带来的痛苦，现实改变不了，但心态可以自己掌握。只有好的心态才能让我们看见阳光。生活是自己创造的，心情是自己营造的。不能改变别人，就改变自己；不能改变事情，就改变对事情的态度。这样你才能活出生命的色彩。买不成房子，租房子并不影响人生的快乐。买不成房子，不做房奴不也是一件开心的事吗？

春有暖意，夏有花；秋有皎月，冬有雪。如果我们能把应对自然的心态拿出来应对生活和自己复杂的心思，事情不知道要简单多少倍。口袋没票子，又要住大房子，买好车子，大多数的时候我们是在作茧自缚。能从纷繁复杂的事务中理出头绪的人活得轻松，因为他始终相信没有一条道路是人为算计好而启程的，你既要有努力方向，还要相信，快乐不是房子和车子决定的，而是掌握在自己手上。

Part 03

给心灵做个SPA，降低快乐“沸点”

既然我们活在这个充满争议声和躁动的时代里，那么你也同样拥有发声的权利。只不过，你需要掌控好自己的心，给心灵做个SPA，你会变得更强大！

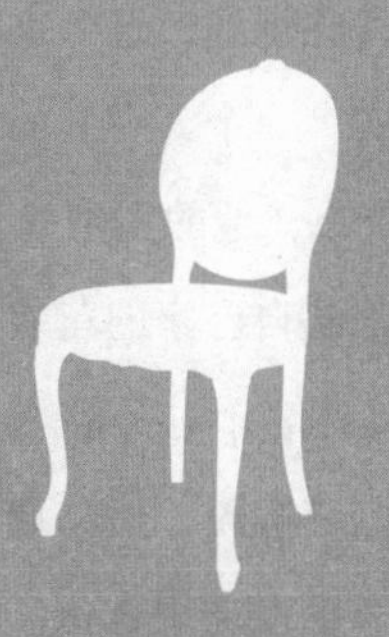

03 ▸▸

清净的心，最容易装下快乐

有时候，我们会忍不住问自己："为什么我整天都会这么紧张？为什么我忙来忙去，还是觉得自己一无所有呢？"忙碌、紧张的生活，已经让人不堪重负，即使得到一些物质上的东西，它们就一定能够弥补我们精神上的损失吗？为什么不适时停下匆忙的脚步，静下心来，听听内心的声音呢？

在生活中，我们常被那些凡尘俗事所困扰。生活中的烦扰太多，心就没有办法安宁。很多人之所以烦躁不已，就是因为内心难以平静。虽然很多人都想找一个静谧的空间来抚慰自己那颗烦躁的心，但越来越多的人感觉到，这个世界太嘈杂了，已经很难找到那样一个空间。其实，一个人内心的清净，无须依靠外物，只要他能够静下心来，那么，他的人生就无处不得宁静。

有一位妇人，每天都从自己家的花园里采摘一些鲜花送到附近的寺院里供奉佛祖，以此表示对佛祖的虔诚。

一天，当她正送花到佛殿时，恰巧遇到主持。主持非常欣喜地说道："你每天都这么虔诚地用香花供佛祖，来世一定会得到

佛祖的庇佑，洪福无边。”

妇人听了非常高兴，答道：“用香花供佛是应该的，因为我每天来寺庙供佛时，自觉心灵就像洗涤过一样，感觉清凉无比，可是回到家中，心就不像在庙里那么安宁了。我想知道，如何在喧嚣的尘世中保持一颗清净的心呢？”

主持反问道：“你喜欢鲜花，那你一定知道怎样养护花草，那现在你告诉我，你怎么保持花朵的新鲜呢？”

妇人答道：“保持花朵新鲜的方法很简单，只要每天换水，并且在换水时剪去一截花梗。只要保证花梗的一端在水里不腐烂，能吸收水分，花朵就不容易凋谢！”

主持道：“你知道如何为鲜花保鲜，就应该知道怎样保持一颗清净的心，因为两者的道理是一样的。我们周围的环境就像瓶里的水，人则是水中花，只要不停地净化自己的身心，转化我们的思想，经常自我反省并不断地改掉缺点，我们就能不断地吸收到自然给予我们的营养。”

妇人听后感激地说：“谢谢大师的开示，希望以后能经常见到您，享受寺院禅者的生活，体验晨钟暮鼓、菩提梵唱的宁静。”主持道：“施主何必要等到以后呢？就现在吧，也不必一定非要在寺院中体验宁静，其实你的身体就是庙宇，呼吸就是菩提梵唱，脉搏就是晨钟暮鼓，菩提在心中，无处不宁静。”

是啊，只要心无杂念，再嘈杂、奢华、繁忙的热闹场所也可成为体验内心宁静的道场，只要你能抛开杂念，哪里不是宁静的地方呢？倘若妄念不除，即使佛祖就在身旁，你也一样无法修行。因此，要解脱烦恼获得快乐，就要先抛开杂念，回归本真。

有一个渔夫，他每天早上出海打鱼，每次只打一会儿，一家人的生活就可以解决了。他一天大部分的时间用来和人下棋、聊天以及带孩子玩耍。日子过得无忧无虑、自由自在。有一天，他在集市上遇到一个商人。商人对他说："市场上的鱼很好卖，你要是每天多花点时间去打鱼，不就可以卖到更多的钱吗？"

渔夫问："然后呢？"商人说："有了钱，你可以多买些船，然后请人给你打鱼，赚更多的钱。"渔夫问："再然后呢？"商人道："拥有更多的资金，你就可以开间海鲜加工厂，成就一番事业。"渔夫问："实现这个目标要多长时间呢？"商人说："最多要十几年吧。"渔夫说："实现这个目标后我又能做什么？"商人想了想说："实现这个目标后，你就可以回到村子，整天和你的那些老朋友在一起聊天、下棋，和你的老婆、孩子一起过快乐的生活。"渔夫想了想说："那还是不要折腾了吧，我现在不就过着这样的生活吗？"

是啊，我们为何不能像渔夫那样静下心来，细细地品味生活呢？只要用心感悟生活，平凡中也能体味到深刻。生活就像一杯茶，只有细细品味，才能品味出清香和甘甜。范仲淹在《岳阳楼记》中写道："不以物喜，不以己悲。"这其实也是一种获得快乐的最佳心态。无论外界发生何种变化，无论我们有什么样的情感起伏，只要保持一种宁静、豁达、淡然的心态，就会发现快乐其实很简单。

退一步，让生活简单点，让自己快乐点

古语有云：“忍一时风平浪静，退一步海阔天空。”但在我们的生活中，有人说：“我可不愿忍、不想退，那样我就失了尊严，丢了面子，没了威信。”也有人说：“我不敢让，让了别人还会得寸进尺。”真是这样吗？逞一时之勇，也许你能夺回面子、获得威信，可是你真的会得到想要的一切吗？

有人认为，快乐就要往前冲。告诉你，不一定。有时候，你的乐园在后面，退一步反而能找到快乐。不是吗？当你身处悬崖边，后面哪怕是一道沟壑，也是你的乐园；当你身处刀山火海，后面哪怕是满地荆棘，也是你的乐园。所以说，快乐不见得非要往前冲，有时候，退一步就是你的乐园。

早晨，一个穿得整整齐齐的小伙子，去隔壁村里迎娶他的新娘。当他走到通往丈人家的独木桥时，眼看就到桥头的时候，迎面走来一位推独轮车的农夫，车上满是家禽。小伙子不愿让步，他对农夫说：“大伯，你看，我就要到桥头了，能不能让我先过去？”农夫把眼一瞪，说：“凭什么让你先过？我要忙着去赶集呢，要是去晚了，我带的几只母鸡就卖不上好价钱了。”

小伙子说：“我让的话，迎娶新娘就会晚了。”

结果，两个人谁也不让谁，虽然两个人都很着急，但因为谁也不肯相让，所以只能僵持在桥上。

过了许久，远处河面上漂来一只小船，船上坐着一个和尚。两个人就请和尚为他们评理。

和尚看了看农夫，问道：“你真的很急吗？”

农夫答道：“我真的很急，再晚我的母鸡就卖不出去了。”

和尚说：“你要是真的急着赶集，为什么不尽快给小伙子让路呢？你只要退那么几步，他便过去了，他一过去，你不就可以去赶集了吗？”

农夫听了和尚的话后，红着脸没有说话。

和尚又笑着问小伙子：“你今天洞房花烛，这可是人生大事，为什么不先退一步呢？”

于是，在和尚的调解下，小伙子和农夫都过了桥。

下午的时候，小伙子和农夫再次在桥上相遇。小伙子是一个人回来的，满脸的沮丧；而农夫的车上，依然是满车的家禽，也是一脸的痛苦。原来，小伙子因为错过了迎亲的时辰，老丈人不愿意把女儿嫁给他了；而那个农夫，也因为赶集迟到了，一只家禽也没有卖出去。

你看，多可惜呀！两个人要是有一个人能退一步的话，晚上，小伙子就会洞房花烛，农夫也会怀揣着银子回家。生活中很多人都喜欢争强好胜，但是，不论是说话还是做事，如果不给别

人留一点余地，就很容易把自己逼近死角。尝试在生活中换一个角度考虑问题，退一步，有时候是一种以退为进的策略，如果能够把以退为进的策略用于生活中，那么生活将会变得张弛有度。

一天，一位法师正要开门出去，迎面闯进一位魁梧的男子，结结实实地撞到法师身上，把法师的眼镜都撞碎了，镜框还戳破了法师的眼皮，可那位撞人的男子丝毫没有歉意，还恶狠狠地说：“谁让你戴眼镜的！”

法师笑了笑没有说话。

男子颇觉惊讶，说：“你怎么不生气呢？”

法师说：“生气有用吗？生气能让眼镜复原吗？生气能让脸上的瘀青消去吗？生气只会让事情变得更糟糕，造成更多的恶缘。要是我早退一步，我们就会避免相撞了。”

男子听后十分感动，就向法师请教了很多问题，然后若有所悟地离开了。

一年后的一天，法师接到一封信，信封内装有5000元钱，正是那位男子寄的。

原来当年男子的生活很不顺利，婚后夫妻感情也不好，他每天都生活在痛苦之中。一天，他发现自己的妻子与一名男子在家中谈笑，他非常气愤，就在厨房找了一把菜刀，打算杀了他们，然后自尽。他正要冲进客厅，却看见那个男子惊慌地回过头，仓促之中脸上的眼镜也掉了下来，就在那一瞬间，他想起了法师的教诲，于是他退出了客厅，走出了家门。后来，他开始了自己的新生活，事业也顺利了。这次，他特地寄来5000元钱，感谢从法师那里得到了人生幸福、快乐的秘诀：

很多时候，在生活中退一小步，就能让你的人生快乐许多。退一步就是忍一忍，退一步就是吃点亏，退一步就是让一让。忍一忍，会让你少去很多困难；吃点亏，会让你少去很多麻烦；让一让，会让你免去灾难。想一想，没有困难、麻烦和灾难的人生难道不就是快乐吗？所以，人生快乐的密码就是三个字：退一步！

去繁存简，简简单单才是真快乐

奢华之美往往让人望而生畏，而简约之美则能让人心悦诚服。在这个充满压力与浮躁的现代社会，简单就是一种快乐。

现代社会，追求物质享受是一种普遍现象，很多人认为成功者的生活应该是进出于高档交际场所，开豪华跑车，住精美别墅。人们似乎已经忘记了简约生活的快乐，只知道追求奢华的享受。然而，过度地追求精致、华贵的生活反倒会让人陷于无尽的烦恼当中。但也有一些人能够独善其身，在物欲横流的社会中发现简约生活的美好。

20世纪50年代，理发艺术大师维达·沙宣发现很多贵妇人的发型烦琐，每天早上要花一个多小时来打理，他觉得很没有必要。于是，他根据顾客的脸型给每个顾客设计简单并适合自己的发型。这种简约的发型很快引来无数的追捧者，很多理发师也开始尝试采用沙宣的方法。很快，简约的发型成为当时世界的潮流，当然维达·沙宣也从中获利颇丰，不仅获得了诸多荣誉，还建立了一家家跨国企业。

无独有偶，宜家创始人英格瓦·坎普拉德在家具方面也看到了类似的问题，当时成套昂贵的家具让多数家庭无法承受，于是他就推出了用材简单、价格低廉的家具系列，因格调清新、素雅，颇具生活特色，他的家具很快成为人们的首选，最后风行全球，成为全球最大的连锁家具企业之一。当然还有很多事例可以说明，简约往往比奢华更能博得人们的欣赏。

梭罗曾说过：“我们的生命不应该置于琐碎之中，而应该尽量简单，尽量快乐。”但现实社会中，随着生活节奏的加快，人们的人生观、价值观也发生了重大的改变，我们似乎已经不知道自己真正想要的是什么。也许有一天，当生命最真实的一面展现在我们面前时，我们才可能找得到答案。

约翰是位商人，他的公司发展得很好，但他仍然不满足，他想把他的公司版图扩展到太平洋的西边。可是就在他和同事一起前往西岸考察的途中，他们所乘坐的轮船触礁沉没，很多人都遇难了。万幸的是，他被困在太平洋中漂流了27天后终于获救。这件事后，约翰好像变了一个人，他不再想着扩展自己的事业，他甚至缩小了自己的公司规模。他开办了一家养老院，每天他都会抽一部分时间和老人们聊天、唱歌、下棋。

有人对他的变化感到好奇，就问他原因。约翰回答说：“那次海难，让我学到了很多东西，什么是幸福，幸福就是有足够的水喝，有足够的食物吃，其他的什么都没有必要奢求。”

不停奔跑的你，是不是也要停下追赶的脚步，环顾一下四周呢？其实，美好的生活就在我们身边，躲藏在某一个你没有注意到的角落，只要用心去体会你就能发现。不停地追赶就能拥有一切吗？拥有了一切就一定会快乐吗？

既然不能拥有一切，那么就从你所拥有的东西中去寻找能使你快乐的东西吧！把那些让你不快乐的东西统统减掉。著名主持人杨澜就是一位懂得简约生活之美的智慧女性。

杨澜可以说是一位非常成功的电视节目主持人，但她自己却说，她前15年的电视生涯一直是在做加法。只有后几年才真正找到自我，开始了人生的减法。是啊，在前15年里她做了主持人，又要求自己写台词；写了台词，又要求做编辑；做完编辑又要做制片人；做了制片人，又想负责几个节目；负责了几个节目，又想着办个频道……她一直要求自己做到最好，最后在香港创办了阳光卫视。就在阳光卫视创办之初，她却遇到了一些麻烦，她冷静思考之后，豁然开朗，她明白了，有些事情她可以做，也做得到，有些事情她却不能做，也做不到。于是在做主持工作的同时，她抽出一部分精力从事公益事业。因为，做这些事情能让她的心获得宁静，能让她的人生充实而快乐。

杨澜学会运用减法为自己找到了一个平衡点，从而找到了生活的快乐所在。是啊，我们不可能什么都做，因为时间有限；我们不可能什么都做得到，因为能力有限；我们不可能什么都做得好，因为精力有限。我们要学会知足，不要把生活排得太满，留一点空间，留一点时间给我们的心灵享受平静。用一颗平静的心感受生活，还原生活的本来面貌，这样我们才能感受到生命的自由、轻松，才能找到生命的意义。

放慢你的脚步吧！给生活做一下减法，你会发现生活可以很从容。适当的时候，我们应该尝试中庸之道，过简约生活。或许这样的简约生活才能让我们体会到生命的真谛。

几年前的老挝，还不是十分开放。那里的人们生活也不是很富足，但在老挝你总能看见一幅幅令人感动而又难忘的画面：平静的小湖开满了白色的莲花，碧绿的原野一望无垠……放眼望去，一片地广人稀的景象，深幽、神秘，让你不由得为她沉迷，被她吸引。只见在那被白色铺满的小湖之中，有好多孩童喊着很有韵律的节拍，光着身子划着竹筏。阳光下，他们那被湖水洗过的身体泛着黝黑的光泽，给人一种非常阳光、非常健康的感觉。对于那些前来观光的游客，他们丝毫不感到害怕，反倒是很愿意游客给他们拍照。他们举起热情的双手，让游客们给他们拍下精彩的瞬间。待照相完毕，他们就又回到自己的快乐之中，三五成群的孩子们像鲤鱼跳龙门一样纵身跃进湖中，在里面尽情地游玩。之后，他们又跳上竹筏，心满意足地划向另外一片开满白色莲花的小湖。他们都是穷人家的孩子，他们从小在那里长大，从来没有离开过家乡半步，没有一件好衣服，没有任何昂贵的玩具……然而他们并不认为自己不快乐、不幸福，也从来没有感觉到自己可怜，相反，他们看起来非常快乐。

为什么他们的笑容能够如此灿烂？因为他们的心如那一朵朵莲花般纯洁、美丽，在充满暖意的阳光之下，他们的笑脸与千百朵莲花一起盛开。什么样的人生才是有意义的人生？希望他们永远不会问这个问题，因为快乐的人心里永远不会有这样的疑问。活得简单就是快乐。

打开心灵的窗户，让阳光照进来

在我们的生活中，总会有一些事情让我们心烦意乱。有人说，我的生活太乱了，我都不知道该怎么办了。乱的真的是我们的生活吗？不，乱的是你的心。其实，只要你有一颗充满阳光的心，不管周围发生了什么事情，也不管环境有多么恶劣，你一样能做到心境平和、快乐生活。

有人说，生活就像一望无际的大海，人就是大海上的一叶扁舟。大海无风浪三尺。在大海上航行，会遇到很多的困难，让你心力交瘁。大海不可能风平浪静，生活也不会一帆风顺，我们一定要守住一颗宁静的心，只有这样我们才可以勇敢地驶向美丽的港湾。那么，怎么才能使自己的心宁静呢？宁静是一种生活态度，只要打开心灵之窗，让温暖的阳光照进来，我们的心就会温暖，我们就会幸福、快乐。

杨太太的丈夫是一位知名企业家，一向对她呵护有加，在别人看来，她可以说是天底下最幸福的女人。但她并不觉得自己幸福，反而觉得自己很痛苦，常常一个人伤心地哭泣。有一次，她在一个朋友面前哭得很伤心，朋友问她：“你伤心什么呢？”

她说：“你有所不知，他对我用情不专，这让我很痛苦。”

朋友劝她说：“感情是不可强求的，就像你手中的沙子，你抓得越紧沙子就会溢出得越多。”

她问：“那我该怎么办呢？”

朋友回答道：“不要把感情当成绳子，倘若把他拴得太紧，他就会喘不过气来，他就会出去寻找新鲜空气，你拉得越紧他跑得越远，而你呢，也只会越来越累。放开吧！放开他，也就是放开你自己。”

请用一颗豁达、平静的心来看待工作、感情。就拿婚姻来说，你的爱人由于你管得太紧，表面上对你百依百顺，内心却充满了抵制。他对你很难产生怜爱之心，也就难怪会对你有欺骗的行为。所以，你最应该做的就是以一种宽大的胸怀包容他的一切，把对他的爱扩展到他的亲人、他的朋友……一旦你给予他的爱是自在、轻松、快乐的，那么他一定会感激你，并珍惜他跟你的这份感情。

打开你心灵的窗户，让温暖的阳光照进来，这样，再冷再硬的心也会融化。即使遇到再大困难，你的心灵已经充满阳光，你也不会再痛苦。何必让自己活得如此不快呢，只要你轻轻地把朝向阳光的窗户打开，你的生活就会春光一片。

打开心灵的窗户很简单，每个人都可以做到，只要你愿意。让心灵布满阳光，勇敢地走向前方，走进美好的未来，迎接五彩缤纷的生活。不管遇到的困难有多大，我们的心也不会暗淡，快乐也不会远离我们。

比伯是一家汽车公司的员工，在一次事故中，他的右眼受伤了，后来失明了。

原本性格开朗的比伯一下子变得闷闷不乐起来。他害怕出门，害怕别人问他的眼睛。

由于自卑，比伯不愿出门，他总是请假，没有了工资，家庭的所有开支都落在了妻子丽斯的肩上。生活压力一下子大了好多，丽斯只好晚上又兼了一份工作，她很爱这个家，很爱比伯。丽斯相信，丈夫总有一天会从心灵的阴影中走出来。可是，祸不单行，比伯右眼的受伤，导致了左眼的视力也跟着下降。在一个风和日丽的早晨，比伯竟然看不清儿子在院子里踢球了。丽斯惊讶地看着丈夫，在以前，儿子在更远的地方，他也能看到的。

丽斯一句话也没有说，她走到丈夫身边，紧紧地抱住了他。

比伯说：“亲爱的，我已经意识到了。”

其实，对于现在这种情况，丽斯早就有心理准备了，只不过，她不想让比伯更加难过，于是她请求医生不要把实情告诉比伯。可是，医生却告诉丽斯，情况要糟糕得多，比伯可能会失明。

丽斯知道比伯能看见的日子不多了，她想在丈夫还能看见的日子里看到更多的美好，于是，她每天都穿得漂漂亮亮的，并且在比伯面前，她掩饰住悲伤，总是微笑。几个月后的一天，比伯说：“丽斯，你怎么穿了一件这么旧的衣服？”

丽斯说：“哦，那我去换一件吧。”丽斯走到了换衣间，可是她忍不住偷偷地哭了。因为这件衣服是她刚买的新衣服呀。

丽斯做了个决定，她决定把家里重新粉刷一遍，她希望比伯能看到焕然一新的新家。

很快，油漆匠找来了。这是个非常快乐的油漆匠，每天干活的时候，他都愉快地吹着口哨。他的好心情感染了丽斯和比伯，他们也觉得非常开心。

几天后，他就把丽斯和比伯的家粉刷一新。在结算工钱的时候，油漆匠少算了20美元。

比伯说：“你少算了工钱。”油漆匠说：“我已经算进去了，看到你们这个家如此幸福，我也觉得幸福。”

比伯却坚持要给油漆匠这20美元，他说：“你同样让我知道了残疾人也可以自食其力、快乐生活，我也看到了生活的勇气。”

原来，油漆匠只有一只胳膊。

有时候，我们感到生活得很痛苦，是因为我们自己封闭了自己。这时，我们需要勇气，需要打开我们的内心世界，去发现生活的美好。那么，就让我们打开心灵之窗，去迎接更多的阳光吧。只有内心世界充满阳光的人，才不会畏惧困难，才会勇往直前，不断追求自己想要的生活，成功就在前面，幸福和快乐也不会遥远。

打开心窗，让阳光照进来，既温暖自己，又照亮他人。

敞开我们的心扉，用一颗豁达、柔和的心对待自己、爱人、朋友，及身边所有的人，温暖的阳光就会永远环绕在我们周围。放飞心灵，让它引领我们朝着光明、自由、幸福、快乐走去，去寻找生命的一方乐土。

叫停自己，快乐才会追上你

人的情绪大致分为两种：积极的情绪和消极的情绪。积极的情绪包括乐观、高兴、喜悦等；消极的情绪包括悲观、恐惧、愤怒等。拥有积极的情绪会有快乐感和幸福感，而当消极情绪来袭的时候，你会怎样呢？选择逃避，还是跟自己生气？逃避解决不了任何问题，生气只会把自己伤得更深，我们要做的就是正确面对消极情绪，遏制它，不让它继续蔓延。

列夫·托尔斯泰说：“愤怒使别人遭殃，但受害最大的却是自己。”很多哲人都曾经告诫过人们，生活中千万不要被愤怒左右，否则，那就是自讨苦吃。毕达哥拉斯说：“愤怒以愚蠢开始，以后悔告终。”所以，要想获得快乐的人生，就要控制好自己的情绪，不要轻易发怒。当你愤怒的时候，思维就会处在混乱状态，很难保持冷静，这种时候很容易做错事，并且这样一来，我们的处境会更加窘迫。

在一片广袤无边的大沙漠之中，有一只骆驼在艰难地前行。因为正值中午，所以天上的太阳像火球一样炙烤着大地，骆驼又饿又渴、又热又累，很快就开始焦躁起来。

正当骆驼十分焦躁的时候，有一块瓷片把骆驼的脚掌硌了一下，骆驼马上怒火中烧，恶狠狠地抬起脚踢了瓷片一下，没想到脚掌被划开了一道又大又深的口子，顿时，鲜红的血流了出来，很快就染红了它脚下的沙粒。

骆驼只能一瘸一拐地向前走着，而随着鲜血的流淌，骆驼更加没有力气。血的腥味将沙漠的秃鹫引来，它们不停地在骆驼的头顶上盘旋，只等着骆驼死去，就下来大吃一顿。骆驼感到非常恐惧，它不顾受伤的身体，跌跌撞撞地向前奔去。可是，就在它来到沙漠边缘的时候，因为失血过多再加上劳累过度，它一下子倒在了地上。死之前，骆驼感叹道："我为什么跟一块小小的瓷片过不去呢？"

骆驼之所以会死去，不是因为瓷片硌了脚掌，而是它自己害了自己，是它没有控制好自己愤怒的情绪。虽然这只是一则寓言故事，但类似的情形在我们的生活中却比比皆是：有人因一个小误会与朋友绝交；有人因别人的一句无心的话大打出手……

佛家认为，"嗔"是世人受苦的根源，它就像是潜藏在内心深处的心魔。所谓的"嗔"，即是怒火中烧。佛家看到，世人遇到不如意的事情，往往会发脾气、不高兴，因此佛家认为这就是痛苦的根源，所以经书上说"宁起百千贪心，不起一嗔恚"。所谓"一时嗔念起，火烧功德林"，就是指人发脾气，把所有的功德都烧光了。

除此之外，愤怒还会波及他人、伤害他人。所以，一个渴望

幸福的人，应该消除自己的嗔念，不管遇到什么事，都要学会心平气和地对待，这样人生才会快乐。

为了今后的生活过得更好，结婚不久，丈夫就出了门。在外地，勤奋的他很快就找到了一份工作，并且在那里一干就是18年。这18年中他努力工作，没有休过一次假，也没有回家看过一次妻子。

一天，他对老板说：“我在这里干了18年了，我该回家了。”老板说：“你要回家可以，不过我有个想法，对于你这18年的辛勤付出，我要么给你钱，要么给你一条关于幸福的忠告，你从中选一个，好好想想再给我答复。”

三天后，这个人找到老板说：“我想要那条幸福忠告。”

老板提醒他说：“如果你要忠告，我就不会给你钱了。”

可他还是坚持说想要忠告。于是老板就给了他一条关于幸福的忠告。老板对他说：“不要让自己生气，要是控制不住，就不要在生气的时候做决定，否则你以后一定会后悔。”

老板接着说：“这里有三个馒头，两个你带着路上吃，另一个等你到家后和家人一起吃吧。”

于是，离开家18年的丈夫第一次踏上了归家的路。

他走了好几天，终于回到了自己熟悉的小村子。他站在山头上远远地看见了自己的家，只见屋子顶上正冒着青烟，他还依稀看见了妻子的身影。可是，他的脸色一沉，原来他看见了一个男子，他将头伏在妻子的腿上，妻子正抚摸着他的脸。

丈夫的内心充满了怒火，他想跑过去杀了这两个人。这时，他想起了老板给他的幸福忠告，于是他停了下来。天黑后，他已恢复冷静，虽然很悲伤，但已经不生气了。他想："我不能杀死我的妻子，我要离开这个家，在这之前，我想告诉我的妻子，这18年来我没有背叛她。"

他走到家门口，推开了自己家的门，妻子看到门口的丈夫，一下子扑到他的怀里。他狠心地推开妻子，悲伤地说："你为什么背叛我？"

妻子吃惊地说："什么？我一直忠心于你，我等了你18年。"他说："那今天下午伏在你膝上的男人是谁？"妻子说："那是我们的儿子，你走时我就有了他，今年他已经18岁了。"

丈夫听了，高兴极了。他走进家门，拥抱了自己的儿子。接着，一家人坐下来一起吃他带回来的最后一个馒头，他把老板送的那个馒头掰开后，发现里面有金币，正是他18年的工钱。

从此，他们一家三口过着快乐的生活。

就差一点点，故事中的男主角就毁了自己的快乐人生，多亏了老板给予的幸福忠告，正是这条忠告让他冷静了下来，没有做出让他后悔一辈子的事。

富兰克林说："愤怒起于愚昧，终于悔恨。"

人在愤怒时，常常会因为情绪过于激动而造成一生无法弥补的遗憾！所以，遇到事情时要学会控制自己的情绪，让激动和愤怒降温，先让我们的心静下来，直至怒火彻底消失。怒火退了，烦心的事也就走了，当一个人没有什么烦心的事的时候，快乐自然就会如约而至。

做人不要太精明，傻人自有傻福

那些被我们嘲讽为“傻瓜”的人在我们的生活中往往备受歧视，很多人不愿与他们为伍，更不愿自己也被人讥笑为“傻瓜”。其实“傻瓜”也有“傻瓜”的好处，“傻瓜”忍让、宽容，而这些都是精明人很难做到的。“傻瓜”的目光往往不够尖锐，这样一来反而不会挑剔别人，也不挑剔生活，他们因此而快乐，这就是糊涂的智慧。

我们经常听到这样的话，“糊涂是福”“傻人有傻福”。通过这些话语，我们能得到这样一个快乐秘诀：做人不要太精明。一般来说，糊涂一点、傻一点的人，他们不计较，不算计，过得安稳，活得踏实，反而远离痛苦，活在快乐之中。而精明的人遇事太在意，太认真，这样反而会招来很多无谓的烦恼。所以，清代书画家郑板桥说“难得糊涂”，在他看来，凡事看得太明白、太清楚、太透彻，会更生烦恼，还不如糊涂些，眼不见心不烦，这才是快乐的秘密，是痛苦的解脱之术。

电影《阿甘正传》中的阿甘在一般人看来几乎就是个白痴，

他父亲早逝，是母亲含辛茹苦地把他养大的。

阿甘是一个笨小孩，智商只有75，还先天性腿脚不好。母亲为了鼓励他，常常对他说：“人生就好似巧克力，你永远也不知道接下来的一颗会是什么味道。”阿甘深信母亲的这句话，并牢牢地记住了。

因为阿甘傻，小的时候受尽了小朋友的欺侮，软弱的阿甘只有拼命地逃跑。傻人有傻福，逃跑不仅治好了他的腿脚，他还因为拥有跑步的天赋，顺利地完成大学学业并参了军。战斗中，阿甘所在的小分队遭到了敌人的伏击，精明的丹中尉命令他乖乖地待在原地等待援军，但傻傻的阿甘冲进枪林弹雨里搭救战友布巴，他也因此成为战斗英雄，获得了人们的认可和尊重。

战后，不知深浅的阿甘决定去买一艘捕虾船，因为他答应过布巴，要做他的捕虾船的大副。丹中尉笑着对他说：“如果你做捕虾船的大副，那么我就是太空人了！”可阿甘傻傻地说，承诺一定要兑现。最后，阿甘成了船长，丹中尉当了他的大副。

女孩珍妮和阿甘青梅竹马，可珍妮并不愿意嫁给他。于是，珍妮让阿甘远离自己，不要再来找她。尽管珍妮已经有了男友，可傻傻的阿甘仍然每天都给珍妮写信。珍妮一次又一次地离开，要是阿甘稍微聪明一些，他一定会放弃她，因为聪明人一看便知获得珍妮的爱情没有任何希望。但或许是上天怜悯他，珍妮最终还是回到了他的身边，有情人终成眷属。

有时傻一点并不是什么坏事，阿甘的成功，可以说正是得益于他的傻。因为傻，他不去计较输赢得失，所以他快乐；因为

傻，他看不到危险，所以他勇敢。他一直承受着歧视带来的痛苦，他并不是不知道自己与别人不同，他只是在装糊涂，不愿意去计较而已。其实傻子阿甘并不是最傻的，因为“天下最傻的人，是把别人当傻子的人”！

生活中的我们不妨多些糊涂的智慧，这样也会多些快乐。

唐代宗时，郭子仪因为在平定安史之乱中战功显赫，成为唐朝的功臣，因此唐代宗就招了郭子仪的儿子郭暧为驸马，将升平公主嫁到他家。

有一天，小两口因为一点小事争吵起来，郭暧看见妻子根本不把他这个丈夫放在眼里，气愤地说：

“你有什么得意的，不就是仗着你老子是当今圣上吗？实话告诉你吧，你们李家的江山可是得益于我父亲才保全的，是我父亲不想得到皇帝的宝座，所以才让你父亲当了皇帝。”

升平公主听到郭暧竟敢说这样大逆不道的话，立刻奔回宫中，告诉了父亲。她满以为父皇会替她出口气，教训一下郭暧。

谁知，唐代宗听完公主的汇报后，不但没有大发雷霆，反而静静地说：“你还小，有许多事你还不懂。我告诉你吧，郭暧说的都是实话。李家的江山是你公公郭子仪保全下来的，如果你公公想做皇帝，他早就是了，天下就不是我们李家的了。”

唐代宗告诫升平公主不要给丈夫乱扣“谋反”的大帽子，夫妻之间要和和气气地过日子。在唐代宗的劝解下，升平公主消了气，自动回到了郭家。

郭子仪很快就知道了这件事，可把他吓坏了。他知道，儿子的这番话几乎是谋反之罪，皇帝要是怪罪下来，问题可就大啦。郭子仪马上让人把郭暧捆绑起来，送到宫中向皇上请罪，要求皇上严厉责罚。可是，唐代宗没有一点怪罪郭暧的意思，反而劝慰他说："这是小两口吵架时说的气话，我们当老人的就不要认真了，有句俗话说得好'不痴不聋，不为家翁'，儿女们在闺房里讲的话，我们何必当真？我们做父母的，很多时候就得把自己当成聋子和傻子，这样，什么事就没有了。"

是呀，"不痴不聋，不做阿姑阿翁。"意思是说，作为父母或公婆，对儿子与媳妇、女儿与女婿的私事应当少问少管，不妨睁一只眼闭一只眼，装装糊涂。这样一来，家中的矛盾少了，做长辈的烦恼也会减少很多。生活中，很多时候就是要做"痴聋"的"阿翁"，这样就会少遇见烦心事。

阿甘是剧情中的人物，生活中的人们可能不会有他这样的运气。而唐代宗就是典型的假装糊涂。在生活中，要学会做一个聪明的"傻人"，头脑清醒，看事准确，在适当的时候不妨装装傻。装傻其实是一种境界，那种明了一切却不点破的智慧，最让人敬佩。"装傻"并不是忍气吞声，只是换一种思维方式。因为生活中有一些事太明白、太较真，给我们带来的损失和伤害会更大。

丽莎吵着要离婚，这让同事惊讶不已，以前丽莎总是开口闭口把老公的好说个没完，惹得女同事羡慕不已。问她为什么要离婚，丽莎气冲冲地说："他太没良心，亏我对他那么好！他全身上下每一样都是我亲手买的，我整天像个保姆一样，饭给他做

着，衣服给他洗着，为了这个家，我付出了那么多，结果却换来他对我的欺骗。他对我隐瞒他的行踪，结果被我发现了，他还大言不惭地说我平常疑心重，因怕我误会所以才没有告诉我，这算什么理由？我明知道他口袋里有300块钱，可是第二天他就不承认了，这日子是没法过了。”

同事小李路过，听了这番话随口说道：“300块钱与幸福婚姻相比，孰轻孰重？”丽莎听后哑口无言。是啊，300块钱与幸福婚姻相比，孰轻孰重？这个答案谁都明了。但在生活中很多人往往本末倒置。有智慧的人，从不对所有事情都探究个一清二楚，因为他知道，自己不可能世事洞明，把一切看得太清不仅伤了自己的眼还会累了自己的心，更会连累到婚姻。只要婚姻不偏离正常的轨道，不违反道德底线，对于这种小事，不妨装装傻，你的生活会轻松很多，快乐也不会逃走。

古人云：“大智若愚，大巧若拙。”装傻是一种智慧，也是一种美德。装傻是一种境界，是一种聪明的生活方式。因为活得简单，所以没有负担，少了很多无谓的折磨。

一个懂得糊涂哲学的人，一定是个快乐的人。这样的人，在茕茕孑立时，能浑然超脱；在与君子相处时，能憨态可掬；在无所事事时，能耳清目明；在处理事务时，能洒脱不羁；在得意时，能淡然坦荡；在失意时，能泰然处之。这是人幸福的种种状态，所以在这里，我们为快乐的秘诀总结出八个字：装一点傻，多些糊涂。

两情相悦，胜过房子、车子和票子

每个人都希望婚姻幸福，因为婚姻幸福了，生活质量才能提高，我们才会获得快乐。但是，又有多少人有幸福的婚姻生活呢？我们怎么才能让我们的婚姻生活更幸福呢？

有人用缘分来作为两个人结合的理由，这使得大多数人认为婚姻是上天的安排，不能人为控制，这种观点是不对的，婚姻也需要保护，需要经营，它幸福与否，往往取决于两个人的努力。婚姻从来就不会一成不变，就像两个人的友谊，如果在相处的过程中，双方不知道怎么维护这份友谊，那么他们的友谊之花迟早会枯萎。夫妻之间的感情也是这样，不能靠缘分和天定，在婚姻爱情面前，两个人都是快乐的主导者。

有这样一个故事，相信很多已经结婚的人都会有切身的感受。结婚之前，尹小姐对自己的男朋友非常满意，认为自己找到了一个完美的男人，将来的婚姻生活一定会很幸福。可事与愿违，经过婚后一段时间的相处，尹小姐越来越觉得，婚后的先生和婚前大不一样了。尹小姐说，婚前，先生特别勤快，而且体贴入微，每当她逛街的时候，先生总是耐心地陪在身边，没有任何

怨言。可婚后就不同了，先生总是以工作太忙为借口，从不陪她逛街，对家里的事情也懒于伸手。尹小姐感到丈夫没有以前那么体贴了，两个人之间好像缺少了些浪漫，更不用说有什么激情可言。日子长了，婚前的甜蜜没有了，取而代之的却是埋怨、拌嘴。谁都不想看到这种局面——夫妻感情不和，甚至还有破裂的危险。

造成这样的结果责任在谁？你一定会说责任在尹小姐的丈夫，他在婚后忽视了对爱情的继续经营。难道尹小姐就没有责任吗？幸福的婚姻是需要两个人都投入时间和精力去维护的，在维护婚姻的过程中我们需要智慧，而不是一味地在对方的身上找缺点，甚至互相指责。

很多人都知道婚姻需要经营，但在现实生活中，很多夫妻付出了努力却收效甚微，渐渐地他们就放弃了。他们要么选择死气沉沉的婚姻，两个人凑合着过，要么结束那令人乏味的婚姻，一拍两散。

婚姻幸福的夫妻，他们时时刻刻都在用心经营自己的婚姻。在经营婚姻的过程中，关键是看夫妻双方用什么样的心态来看待婚姻，不同的态度，往往影响着婚姻的幸福不幸福。列夫·托尔斯泰说过：“幸福的家庭家家相似，不幸的家庭各个不同。”不管是相似还是不同，都是由于对待婚姻的态度不同造成的。有人发现，用恋爱心态对待婚姻，就能让婚姻充满快乐。

张先生虽然已是一个八岁孩子的父亲，但他对妻子李女士依然是百般呵护，他常常接送李女士上下班，风雨不误，还不时地制造一些浪漫的约会，把妻子哄得特别开心。张先生和妻子卿卿我我，结婚多年仍然像新婚不久的夫妻。张先生总是自豪地对别人说：“我们结婚十年了，但是我从来没有和妻子闹过矛盾。”有人问其中的秘诀，张先生说：“虽然已经结婚了，但是我们始终没有忘记继续经营爱情。我们是因为爱情而走进婚姻殿堂的，

只有爱情永远充满活力，婚姻生活才会幸福、长久。”

张先生的话意思很明显，爱情是婚姻最好的保鲜剂。很多人只把婚姻当成爱情的结果，这样的话，婚姻就会平淡寡味。

有人说，没有爱情的婚姻是不负责任的，也是不快乐的，反之，没有婚姻的爱情也是不完美的。婚姻就像一杯白开水，无色无味，如果你想让这杯白开水变得清甜可口，那你就赶快动起手来，用鲜花、甜言蜜语去调这杯白开水，只要你有心，这杯无色无味的白开水就会变得有滋有味。婚姻的道理也如此，试想，结婚后，如果丈夫能经常买几枝玫瑰花，送到妻子手里，做妻子的也会美美地收下，即使有时候妻子会嗔怪道：“现在的物价又涨了，你花这个钱干什么？”但在她的内心里还是会有初恋般的感觉。不难看出，对于善于经营婚姻的人来说，爱情会在婚姻中延续甚至变得更加完美，而把婚姻经营得如恋爱般甜蜜与和谐，爱情也会得到升华。

明和敏是同学，相爱了好几年后，敏不顾家人的反对，执意嫁给了来自农村的明。他们的婚礼很简单，婚后的生活也很简朴。

第二年，敏有了身孕，可是明却失业了。他们的生活更加拮据，明开始到处打工，而敏每天在家准备好简单的饭菜，耐心地等待着他回来。敏从来没有感到寂寞，也没有因为生活困难而忧郁。明每次回来都会给敏带一些东西，有时就是在路边采的一朵野花，也能让敏开心很久。

不幸的是，敏在分娩的过程中难产，虽然母子平安，但这让他们背上了一笔不小的债务。因为明要照顾妻子，他又失业了。几个月下来，家里已经没有多少钱可以用了。一想到还有两万多元的外债要还，敏就会忍不住失声痛哭。

经朋友介绍，明去了一家公司上班。不久，公司派他去北京出差，明想给敏买两件衣服，因为敏已经好久没有添新衣服了，但他不知道敏的尺码，于是打电话问敏。敏坚决不同意，因为她不想让明给自己花钱。但是，明还是坚持给敏买了些衣服。回家后才发现买的衣服敏穿不了，敏哭了，但接着她抱住明笑了。后来，敏经常把这几件衣服拿出来穿，但她从来没有感到衣服有什么不合适。

渐渐的，生活好了起来，明送的花不再是路边的野花，而是鲜艳的玫瑰，尤其在特别的日子，敏还会收到一大束。每次明回来，敏都会给明一个拥抱，给明一个亲吻，这些都成了她的习惯。两个人的感情一直非常好。

十几年后，明有了自己的事业，并且发展得非常好。事业的繁忙，使他开始顾不上自己的妻子。在明看来，现在家里有钱了，敏好像什么都不缺了。可是，就在他刚过完40岁生日的时候，敏突然提出要离婚。明不解但又无法阻止妻子，于是问敏要什么。敏说自己只想回老家照顾年迈的父母，什么都不想要，唯一想带走的就是放在储藏室里的几箱子东西。

明很好奇，半夜里偷偷地到储藏室翻开箱子一看，里面装满了烘干的花瓣。原来，敏把明送给她的鲜花全都风干后收藏起来了。明似乎一下子明白了敏要离婚的原因。

第二天，明乞求敏再给他一次机会，敏勉强答应了。这天，敏收到了有生以来最大的一捧玫瑰，明在卡片上写道：“送给我最亲爱的妻子！这些年我可能忽视了你，但并不代表我不爱你。”敏再没有提离婚的事，而明不管工作多忙，他也不会忘记给敏买一束鲜花，或陪敏去喝一杯咖啡，要是实在没有时间，明也会在短信中给妻子说一句：“我爱你！”后来，朋友们常取笑他们说：“孩子都上初中了，怎么夫妻两个还像小夫妻那样缠绵。”

所以说，婚姻幸不幸福，并不在于贫穷还是富有，两情相悦，胜过房子、车子和票子。只有用心经营的婚姻，才有“执子之手，与子偕老”的浪漫，才能天长地久。

学会忘记，用宽容滋养爱情

婚姻生活中难免发生矛盾，要想把所有的问题都处理好也非常难。两个人会因为经济负担重而互相埋怨，会因为孩子的教育问题而争执，还会因为房子装修成什么风格而吵闹……所有的这一切都会给我们的婚姻生活披上不快乐的外衣。

当我们的婚姻出现问题时，该如何化解其中的矛盾呢？包容和谅解是必不可少的。很多婚姻之所以不幸都是因为缺少包容和谅解，抱怨、唠叨和责骂不仅对婚姻没有任何益处，反而会使婚姻生活更加糟糕。只有用一颗宽容的心包容对方的一切，才能化解矛盾。

有人说，想做到宽容和谅解太难了，其实，有时只需要一句话，如“对不起”“请原谅”“我错了”……所有的矛盾都会迎刃而解。有时，宽容对方的同时，也宽容了自己。只要还有爱在，谁也不想毁灭自己的婚姻。

灵子是一个敢爱敢恨的女人。第一次婚姻失败后，她在一次宴会上遇见了让她怦然心动的赵家。赵家也有一次婚姻失败的经历，因为同是天涯沦落人，在宴会上他们聊得非常开心。后来他们经常见面，也许是因为日久生情，也许是因为灵子热情如火的追求，他们走进了婚姻殿堂。结婚之初，他们都特别珍惜这份感情，尽量避免冲突，影响婚姻生活。

灵子更是全心投入，除了工作，她几乎把所有的时间都用来打理家里的一切。有时候她就像一个跟屁虫，只要允许妻子出现的场合，她都和赵家形影不离。但时间一长，赵家感觉自己没有了私人空间，厌倦和疲惫感陡然而生。

一次，灵子去参加一个同学聚会，无意之间听说赵家的上一次婚姻之所以失败，是因为他和一位女同事有暧昧关系。从此，她开始留意赵家的行踪和电话。

本来心情就不好的灵子，因单位效益不好精简员工，被迫下岗了。这样，她越发加紧了对赵家的“看守”。赵家想缓解灵子的焦虑情绪，就说：“你现在不用上班了，我们要个孩子吧？”

灵子随口就溜出来一句：“我怀疑你没有资格做个好父亲。”赵家听后勃然大怒，跟灵子大吵了一架，从此他们之间产生了裂痕。

灵子下岗，赵家的事业却蒸蒸日上。每当忙碌的赵家带着疲惫的身体回到家时，看到的却是灵子冰冷的表情。赵家感觉自己快要崩溃了。他开始晚回家，偶尔甚至不回家。这引起了灵子更深的猜疑和不满。

深夜，趁赵家睡觉的时候，灵子翻看了赵家的手机。看到通话记录时灵子惊呆了。一个陌生号码一天给她的丈夫打了十几次电话，并且很多次都超过了半个小时。第二天，她找来赵家的朋友，想问个清楚。可那位朋友却支支吾吾，这让灵子更加迷惑。她一怒之下接通了那个号码，更让她震惊的是，对方果然是个女的，并且那个女人说：“赵家爱我，我也爱他。”

愤怒的灵子当场就把电话摔了，她直奔赵家的工作单位，恰巧赵家在主持一个会议。灵子不顾众人的劝阻，当即就冲进了办公室。灵子的举动在赵家的单位引起了轩然大波，赵家被责令停职反省。这样一来，不光赵家的事业陷入了低谷，他们的婚姻也面临结束。

灵子回了娘家。她想着与赵家在一起生活的一幕幕，心中充满了懊悔。她为那天的莽撞而后悔不已，她那样做不但毁了赵家，也让自己颜面扫地。她想赵家现在一定非常恨她。

看到女儿伤心的样子，灵子的父亲心疼不已，他决定放下岳父的架子去与赵家谈一谈。来到女婿家，看到赵家憔悴的样子，他也不由得心疼。

最后，他说：“不管你以前做过什么，这一次是我女儿错了，她不该去你们单位闹，她也挺后悔的。赵家，你知道灵子爱你，她这么冲动，完全是因为她爱你。”

第二天，赵家来到岳父家。二老找个理由出去了，只留灵子和赵家两人在家中。两个人沉默不语，最后赵家说：“灵子，我们回家吧。不要再让父母操心了。我错了，我会改的。”灵子满脸是泪，没有说话。

后来，在父母的劝说下，灵子回到了自己的家。赵家给灵子

买了玫瑰花和巧克力，灵子亲自下厨做了赵家爱吃的菜。席间，赵家对灵子说：“灵子，都是我不好。我们重新开始好吗？”灵子点了点头，说：“希望我们以后的生活会更好。”

包容、谅解确实不容易做到，这样做需要放下面子，可是，每个人都会犯错，并且有时候完全是无心之失，所以，当你犯了错误的时候，别人谅解了你，你一定要感激，并且把这种谅解传递下去，传递给那些需要你谅解的人。

有句话说得好：结婚之前要睁大双眼，结婚之后要学会睁一只眼闭一只眼。其实在婚姻生活中，你不妨戴上一副有色的眼镜，一只是宽容的镜片，另一只是谅解的镜片，你没变，他没变，生活也没改变，变的只是你看待生活的方式。一旦你们的心态变了，争吵少了，误会少了，快乐也就多了。

老婆比画老公猜，那只是游戏

电视上经常会播放一档叫《老婆比画，老公猜》的节目，猜食品、猜工具、猜生活用品等等。老婆的比画滑稽可爱，老公猜的没头没脑，猜对了欢呼雀跃，猜错了一笑了之。如果把这样的游戏搬到生活中来，会怎样呢？会收到同样的效果吗？当然很难，甚至适得其反。不过，生活中，在不经意的情况下玩这样的游戏者不在少数。

女人一般比较矜持，对于自己想要的东西，尤其是想要老公给自己的东西，一般不直接说出来，而是希望老公能明白她的想法，然后主动买给她。如果老公这样做了，她会有一种无法言说的幸福感。如果老公猜不出她的心思，就有可能影响夫妻之间的感情。

今天是徐静和老公刘超的结婚纪念日，两个人约好晚上一起去外面吃饭，可是徐静想下班后先去逛商场买件外套，于是便打电话给刘超，约好下班后在地铁站出口见面。坐在车上，徐静想，刘超会不会给她准备一大束玫瑰花，虽然她不是那种虚荣的

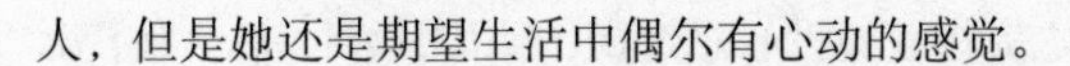

人，但是她还是期望生活中偶尔有心动的感觉。

可是出了地铁站，徐静看到刘超哆哆嗦嗦地站在风里，手里没有玫瑰，而是一个巨大的塑料袋，里面全是书。徐静的热情一下子没了：“买这么多书干吗？拿着沉甸甸的，还怎么逛街啊？”

结果刘超还挺委屈：“是你突然决定要逛街的呀，我正在单位楼下的书店看书，你说吃饭前还想逛街，我就赶过来了，还怕迟到了，结果等了十几分钟呢。”

后来他们没有去逛街，吃饭时徐静的情绪一点儿也不好，她老是说那袋书的问题，而且越说越气。

刘超什么也不说，只是一言不发地看着她。

吃完饭，回家了，刘超又出去了，不过很快就回来了。他的手里举着根哈根达斯。徐静说：“我很想高兴地接过那根哈根达斯，但是我做不到！这么冷的天吃什么冰激凌，我就想逛街买件新外套。”

想要玫瑰，却看到了一大堆书；想要外套，却收到了哈根达斯，徐静心情不好，这个纪念日对她来说太不开心了。刘超也很委屈，他说，他都不知道徐静为什么生气。其实袋子里被她数落的书，几乎全是为她买的。今天他特意早点下班，在等车的时候，他去了旁边的书店，结果发现了很多徐静需要的书。她最近工作上遇到了麻烦，而这些书很适合她。她打电话说想逛街，要他早点去，天太冷了，怕她在地铁口等他，他就赶紧打车过去的。可是她一直很生气，他买的这些书，她看都没看一眼。他实在是扫兴极了，吃完饭，她没心思逛街，他们只好回家。为了让她高兴点，他专门跑到楼下的超市去买哈根达斯，可她把冰激凌扔到冰箱里，突然就哭了，还很委屈。他也不知道她到底想要什么!

其实，他们的故事也正是许多人的故事，两个生活在一起的人，即使他们一起生活了好多年，但是仍旧不能完全理解对方，不能随时感知到对方的需求，不能准确预知对方的行为。可是，对方以为你明白她的心思，这样一来，矛盾必然产生，快乐就会受到干扰。

为什么不问问这么冷的天，这么重要的日子，为什么要买这么多的书？听了解释之后，也许就不会为没有玫瑰而生气，反而很感动呢，那么后面赌气不逛街等事情可能也不会发生了。每个人都有爱，但是每个人表达爱的方式又不相同，谁也不能总是按照自己的喜好来要求别人，哪怕是自己的老公。

在婚姻生活中，两个人要尽量做让对方高兴的事，而不是只做一方认为有意义的事。结婚纪念日，她想收到玫瑰，而你非要送她书，一块送多好啊！当然，男人和女人本来就是两类人，他们对爱的表达方式肯定会存在差异，所以要相互理解，不要一味地追求一致性，作为妻子，只要明白丈夫是爱你的就行了，不必介意他用什么方式表达对你的爱，并且以爱回馈，也许会出乎意料地得到更多的爱。

不管是男人还是女人，在得不到想要的东西时，不妨反过来想想，如果对方真的总是能够猜中你的心思，也不一定是好事。

如果有一天，两个人中的一个人被另一个人改造成功，爱就变成了一种征服。所以，即使相爱，也要让对方保持一些精神、生活、兴趣、价值观方面的自由。

如果你在选择老公的时候，就是因为看上他踏实、稳重的性格才跟他结婚，那么，对这样的老公，你提前就要有个心理准备，因为他可能不浪漫，不能在一些重要的日子准备你想要的礼物。如果你觉得结婚纪念日玫瑰是必须要有的，干脆提前给他一个礼物单，告诉他你的需要。

另外还有一种情况，就是由于持家理财的原因，女人们对于自己想要的东西，可能会舍不得掏腰包去买，但是内心又十分渴望得到，这种纠结的心态会让她心情不愉快。这种时候，她就希望丈夫能明白自己的心事，替自己下定决心，而有的丈夫恰恰没有明白，所以他们就会变成妻子的出气筒。所以，妻子们不妨把自己的想法直接告诉老公，他们会为自己娶了一个勤俭节约的好太太而欣喜的。

游戏只是一种娱乐方式，偶尔运用到生活中，也许会给生活带来欢乐，但不能照搬照抄，因为游戏可以输，生活可输不起。生活中的人们不妨变换一下游戏的方式，在游戏中，偷偷地给对方一个提示，或者巧妙地把游戏的答案交给对方。用自己的智慧游戏人生，我们的生活就会更加丰富多彩，充满欢笑。

让功利云飘，让快乐风吹

一些人常以个人的利益得失作为标准来衡量生活是不是幸福，名利双收、占便宜便高兴；无利可图、失算吃亏则郁郁寡欢或懊悔不已。可人生哪会永远在我们的掌控之中，又哪会有那么多如意的事情，永远的胜算是不存在的。所以，功利心太强的人注定会为功利所累，过得不开心、不快乐。

利益得失是我们大多数人心目中最具分量的砝码。许多人一遇到与利益得失相关的问题，心里的天平便会发生倾斜。虽然这是人之常情，却严重影响了一些人的心理。利益得失是让人感受快乐的头号大敌，人要想活得快乐就要不纠缠于功利，而要超越世俗的得失，唯有这样才能够活得潇洒自在。

爱因斯坦虽然是个聪明人，但在金钱方面却做了许多“傻事”。有一次，一家电台请他做一次广播讲话，电台负责人主动提出讲话的酬金是每分钟1000美元，他讲话的时间是半个小时：12点到12点30分。爱因斯坦点头同意了。

到了讲话那天，爱因斯坦在11点过一点就来到了电台，他要求电台在11点30分就中断其他播音，他要讲话。电台也有些畏惧爱因斯坦的名声，只好临时调整广播节目，满足了他的要求。当爱因斯坦充满激情的演讲完毕后，电台要付给他报酬，他却说：“先生，您弄错了，我违反了合约，我是不能收费的。”

电台的负责人吃惊地问为什么，爱因斯坦说：“我们讲好12点到12点30分演讲，但我的演讲并不是在这个时间，所以我不能收钱。”

还有一次，莱顿大学以重金聘请他去任教并做研究工作，前来与他商谈的人为了把爱因斯坦请去，就不断地说：“您能来莱顿大学是我们的荣誉，莱顿大学也会因为拥有您而骄傲。”爱因斯坦实在听得不耐烦了，说：“先生，我不能去你们那里工作，因为你给了我双重的耻辱！”

后来，有人问爱因斯坦为什么这样对待金钱和名誉，他说：“我一生投身于科学工作，金钱和名誉对我来说都是小事，如果我的工作只是为了获得巨额收入，那么我的工作就不是科学了，成绩也只能表现在领取薪水的表格上。”

看淡名利谈何容易，又有几个人能像爱因斯坦那样在名利面前淡定、从容呢？自古以来，很多人就把追逐名利当成自己的人生目标，名利也被认为是立足于社会的根本。

名利确实能给我们带来很多好处，让我们生活得更方便，甚至可以让我们为所欲为。但它在给人们带来便利的同时，也会给人带来更多的麻烦，让人感到生活空虚。很多人为一时的虚名而忘我地追逐，他们得到了名利，却失去了快乐的心境。

从前有个国王，他有个车夫，虽然车夫很穷但非常快乐，整天乐呵呵的，似乎没有什么事可以让他不高兴。

他整天哼着小调，有时连国王都嫉妒他。一天，国王问他："你为什么这么快乐呢？你到底有什么快乐的法宝？"

车夫说："呵呵，我可没有什么法宝。每天只要有事做，有面包吃，我就心满意足了。工作结束后，再能美美地睡一觉，那就更好了。"

可是，国王还是想不清楚其中的奥秘，于是，他决定问问他的首相，因为他的首相是个学识非常渊博的人。他问道："你知道这个车夫快乐的秘密是什么吗？虽然我是国王，什么都有，但是我都没他快乐。这个一无所有的穷人，到底是什么让他这么快乐呢？"

首相说："那是因为他并未置身于那种恶性循环之中。"

国王问："什么恶性循环？"

首相笑了，说："您就在这个恶性循环里面，但是您不了解它。让我们做一件事情来证明这种恶性循环的存在吧。"

晚上，首相把一个装有99块金币的袋子扔进了车夫的家。第二天，车夫忧心忡忡地来了，如同掉进地狱一样。事实上，他一夜都没有睡，他一个晚上都在数袋子里的金币，可他怎么数都是99块金币。他太兴奋了，他翻来覆去睡不着。他一再地起床，一次又一次地抚摸那些金币，一次又一次地数那些金币……他想要是100块金币该多好啊，可以凑个整数。

但是，去哪里再弄到1块金币呢？他不断地想着这个问题，

想着怎样把99块金币变成100块，简直都要走火入魔了。

他看起来很忧郁，再也不像以前那样整天乐呵呵的了，他每天都愁眉紧锁，像是有一副沉重的担子压在他的肩上。很显然，这副担子就叫欲望，是欲望夺走了他的快乐。欲望就在我们心里，时不时地它就会出来发作一下，因此，我们应该培养自己抵御诱惑的能力，用一颗平常心去对待身边各种各样的诱惑。

后来，因为贪得无厌，这个车夫守着大堆的金币死去了，真是可悲。历史上这样的例子数不胜数，我们不得不警醒：贪婪的人不会有好下场。

在我们周围，有许多不计较个人得失、明理通达之人，他们活得潇洒、快乐。其实，人生之美并不在于拥有多少地位、名誉和金钱。“壁立千仞，无欲则刚；海纳百川，有容乃大。”只有视功名利禄为身外之物的人，只有心胸旷达的人，只有“不以善小而不为，不以恶小而为之”的人，只有看轻自我、超越自我的人，才会在平凡的生活中体味到真正的快乐。

欲望降低了，快乐就会来

人赤条条地来到尘世，原本洁净的心难免被尘世中的欲望和杂念污染，这些欲望和杂念紧紧地包裹我们的灵魂，它们越积越多，最后变成了沉重的负担，让心灵不堪重负。给你的心灵洗个澡吧！洗去上面的尘埃和污垢，这样我们的心灵才会敞亮、轻松。

我们常常为诸多的俗事所累、所困，被欲望和杂念牵着鼻子走，这样就会与快乐南辕北辙，适时掉转车头反而会走向快乐。降低你的欲望，快乐就不会太远。试着调整自己的心境，让自己能够坦然地面对现实，我们的心灵就不会感到过于沉重。欲望低了，心事就少了，快乐自然也就会来了。

美国著名心理学家赛利格曼提出了一个快乐公式：总快乐指数＝先天的遗传素质＋后天的环境＋你能主动控制的心理力量。

先天的遗传素质我们无法改变，后天的环境，我们可以通过努力，得到有限度的改善，而关于快乐公式中最后一个部分——心理力量，则是最能被我们所掌握的。想快乐吗？那么请控制自

己的情绪，掌握自己的心理。

近年来，有人提出另外一个快乐的公式：快乐=现实／欲望。在这个公式中，现实往往是一个变化不大的定值。既然现实这个“分子”变化不大，那么只有降低欲望这个“分母”，才能提升快乐这个结果，即现实是个定值，快乐和欲望就成反比，要想提升快乐感就要降低欲望。

现实中能明白这个道理的人却很少，很多人往往被欲望、虚荣所累。

凯瑟琳身材窈窕，容貌姣好。年轻漂亮的她每天都有不同风格的打扮，或清纯，或时尚，或知性，或性感，同事都说凯瑟琳简直是美丽的化身。在一片赞扬声中，凯瑟琳的虚荣心越发膨胀起来，为了打扮得更惹人注意，更显出品位，她不惜花高价去购置时尚名贵的珠宝、名牌服装、高档箱包……但是，作为一个普通小白领，凯瑟琳的收入有限，和她强烈的物质欲望不成正比，甚至让她负债累累，信用卡公司就一直在催她还账。

一天，女友又夸凯瑟琳的手包漂亮，符合她的气质。凯瑟琳看四周没人，就叹了一口气说其实自己活得很累，别人看到的只是她光鲜、靓丽的外表，实际上她为了置办这些东西花费的金钱已经远远超出了她所能承受的范围，她觉得非常疲惫。她曾经也反省过，但是那些昂贵的名牌物品真的让她很开心，她喜欢听别人的夸奖。

女友真诚地说：“凯瑟琳，你已经够美了，根本不需要修饰和点缀。”

后来，两个人就欲望和快乐感聊了很多。她们发现，如果想要的太多，追求的太完美，人就会被欲望压得喘不过气，又怎么会生活得更好呢？没有那么多欲望，让自己的生活节奏舒适有度，生活反而会更美好、更轻松。

是啊，当你不再渴望更多时，你就能珍惜你所拥有的一切，

心里的不满与空虚就会随之消失。只要你不再抱怨自己还有很多东西没有得到，你的生活一定会其乐无穷。珍惜自己所拥有的，别让欲望笼罩了你的心，你就会发现生活其实很美好。

有一天，一个穷汉路过一家高级酒店，当他看到一群衣着华丽的人走进去时，便感叹命运对自己不公平，并幻想着说：“要是我能住上这样豪华的房子，吃上这样好的饭菜，我就知足了，什么也不奢望了。”

就在这时，命运之神突然降临到他的面前，对他说：“我是命运之神，你刚才的抱怨我都听见了，现在我可以帮助你实现愿望，你愿意接受吗？”

“当然愿意！”

“这里有一个袋子，你打开它，我要将金子装在这个袋子里。但是你要记住，金子是不能掉到地上的，如果金子碰到了地就会立刻变成垃圾，你将什么也得不到。你一定要记住，这个袋子已经很破旧了，可不能装得过多。”

穷汉做梦也不会想到命运会这样垂青于他，慌忙打开袋子。金子快速地流进了穷汉的袋子里，不一会儿，袋子就变得沉重起来。

“够了吗？”

“还差得远呢！”

“你的袋子会破的。”

“不会的，这么一点没关系。”

“这些已经够多了，够你花好几辈子的了，不用再装了。”

“再装点，就再装一点点。”

话还没说完，袋子“啪”的一声破了，金子撒得满地都是，一下子变成了一堆垃圾，命运之神也不见了。

所以说，物欲是个无底洞，有些人永远不知道满足，陷在欲望的深渊里难以自拔，内心的平静也被打破，因此也就很难收获到生活中的快乐了。

就好像《渔夫与金鱼》的故事，渔夫的善良、平静和不求回报令人感动，渔夫老婆无休止的贪欲则令人愤怒。

看看我们的周围，像渔夫老婆和穷汉那样的人比比皆是，自己是不是也是其中的一员呢?

很多人刚毕业时，就想有个稳定的工作；有了工作，又想着加薪和升职；工资涨了，职位也升了，又想着住大房子，开豪华车……当这一切都有了，该满足了吧，不，他们没有满足的时候，他们追逐欲望的脚步仍然不会停下。如此循环往复，他们永远不会快乐。

被物欲污浊了心灵的人们，在物欲控制你之前，赶快摆脱它吧！生活不会事事顺心，但可以清新、简单。即使我们不富有、不年轻，但只要我们活着，就可以选择快乐的生活方式。当你脱掉了物质的外衣，轻装上阵，在人生的旅途中就能享受到轻松和愉悦。

财富名利是荆棘，抓得越牢就会越痛

很多人常常被贪欲缠身，贪欲让他吃不香、睡不着，身心俱疲。贪欲太盛的人，常常会因为不能得到而徒生烦恼；贪欲太盛的人，常常会为了占有而不择手段；贪欲太盛的人，常常会为了欲望而走向罪恶的深渊。所以说，为了人生能快乐点，请克制你的贪婪吧。

一个人快乐与否，并不完全在于拥有的物质多还是少，只要有一个无欲无求的心态，就能够成为快乐的人。因为富足、奢侈的生活并不等于幸福、快乐的生活，如果我们整天沉迷在物质享受之中无法自拔，我们的人生就会像大海中失去航向的船，当别人都在扬帆远航的时候，我们却只能在原地打转，怎么有快乐可言呢！所以，我们要看到，对快乐的追求，不要老是唯利是图、唯“物”是图，培养一个知足的心态，同样能撷取快乐的果实。

有人为名而贪，有人为利而贪，有人为奢靡生活而贪……可是，当这些都有了的时候，这些人还是不会满足，还是感觉不到快乐。很多人甚至还会感觉到莫名的空虚和无助。

安妮是一个非常富有的女人，在全国很多地方都有自己的房子，她戴名表，穿名牌服装，开豪华跑车，甚至还有属于自己的私人飞机，能够随时到世界各地度假，她却坦白承认自己并不快乐。

安妮说："我现在的生活是我以前梦寐以求的，甚至比我以前想象的还要好得多，可是我并不快乐，经常还会感到悲伤和空虚。财富居然不能够让我快乐！我真的不知道什么东西才能带来快乐。"

安妮为钱奋斗了一生，可是当她什么都有了的时候才悟出"有钱不一定快乐"。

有钱不一定快乐，很多人都明白这个道理，可是有多少人能不成为名利的俘虏呢？别再被名利俘虏了，用一颗感恩的心对待生活，只有这样你才会感到快乐。

普拉格在《快乐是严肃的题目》一书中说道："人不快乐，是因为人本身出了问题。"是啊，我们可以不年轻、不富有、不健康，但我们不能没有快乐的心。每个人都有权利也有能力让自己快乐起来，只要你放弃贪婪，学会感恩。

有很多父母在外拼命地挣钱，他们认为有了钱就可以满足孩子所有的愿望，孩子就会快乐。其实他们错了，给孩子的越多，孩子想要的就越多。作为父母不能一味地满足孩子的愿望，而要让他们学会知足，学会感恩，学会从心里说"谢谢"。教育孩子是这样，教育自己又何尝不是同样的道理呢？

有一个信徒周游世界，一天晚上他走进了街区的一个小巷

里，在那里他看见了一个生命垂危的乞丐。信徒拉着乞丐的手说：“你需要帮忙吗？我可以送你去医院。”

乞丐却说：“算了，已经没用了，我已经知足了。我喜欢唱歌，把音乐视为生命，我的愿望是唱遍全国的每一个角落，虽然我一无所有，但我实现了这个愿望，我已经别无所求了。现在我只想说，感谢神灵，它让我一生都很快乐，并让我用歌声养活了我自己。我的一生都在做我喜欢做的事情，现在我快要死了，但死而无憾。”

话刚说完，乞丐就死了。信徒很虔诚地将他埋葬，并为他祈祷。

后来信徒每到一处都给人们讲这个故事，并总结道：“乞丐虽然不是一个腰缠万贯的富豪，可他从不缺少快乐，因为他有一颗容易满足的心。”

是啊，人最有意义的活法就是做自己喜欢做的事。人不快乐的最大原因就是欲望得不到满足、目标得不到实现。《笑傲江湖》里有一句话说得好：“莫思身外无穷事，且尽生前有限杯。”我们现在的生活，丰衣足食已不成问题，甚至可以追求更高的精神生活，可我们却变得越来越不快乐。原因是什么呢？就是我们心存贪念，永远不知道满足。因为不知足，我们心中总有缺憾，所以必须摆脱贪念，你才能有真正的喜悦、宁静和快乐。

从前，有一个农夫总是抱怨自己命运不济，既发不了财也当不了官，整日面朝黄土背朝天，因此，他终日愁眉不展。

一天，有个道士路过他家，看到农夫闷闷不乐，便问其原因。

农夫叹息着说：“为什么我总有这么多的烦恼？为何我既没有一技之长又一贫如洗？”

道士说：“年轻人，你明明很富有啊！”

农夫问：“富有？我除了烦恼什么也没有。”

道士微笑着问他：“那么，假如有人用100两黄金换你20年的寿命，你愿意吗？”

“当然不愿意！”

“用500两黄金换你的健康，你愿意吗？”

“不愿意！”

“用1000两黄金换你的生命，你愿意吗？”

“不愿意！”

道士大笑着说：“年轻人，到现在为止你至少拥有1600两黄金了，难道还不够富有吗？”

农夫一下子恍然大悟。

农夫的烦恼来自于未能真正认识到自己所拥有的财富，他只看到了自己缺少的东西。若能知足，则所有的烦恼都会消失殆尽。人要是没有一颗知足心，无论获得多少，进步多少，都不会快乐。所以，《佛遗教经》上说：“知足之法，即是富乐安稳之处。知足之人，虽卧地上，犹为安乐；不知足者，虽处天堂，亦不称意。不知足者，虽富而贫；知足之人，虽贫而富。”

学会为自己鼓掌

学会给自己鼓掌、给自己鼓励，通过自我赞美的方式，来不断增强自己的信心，才有机会赢得更快乐的人生。能为自己喝彩的人无疑是勇敢的人，也正是这种“我最棒”的喝彩，给我们带来了无限的激情和动力，最终实现了自己的快乐人生！

人的一种不快乐的根源是盯着自己的缺点，并不断放大，总是拿自己的缺点与别人的优点相比较。这种不明智的做法，往往给我们带来了许多不良情绪。俗话说“金无足赤，人无完人”。每个人都是优点与缺点集于一身的。如果你总是把自己的短处和别人的长处相比，你当然找不到自信，也不会快乐。所以，正确地认识自己，做一个快乐的自己才是最重要的。我们的快乐必须靠自己去寻找，而一切快乐的源泉就是对自己满意。一个对自己都不满意的人，快乐怎么愿意靠近他？生命需要充实，更需要欣赏。平日里的奔波，已经让我们忘记了真实的自己。在风尘仆仆地追逐中，留意着路边的风景，却忘记了一个比风景更美的自己。

有个头戴棒球帽，手拿球棒与棒球的金发小男孩，在草地上练习击球。“我是世界击球手冠军。”他自信地说，然后，就把球抛向空中，紧接着用力挥棒，却没打中。他并没有沮丧，他拾起掉在地上的球，再次把球抛向空中，然后大喊一声：“我要做世界击球手冠军。”他第二次挥棒，还是没有击中。他愣了一会儿，拿起球棒和球仔细检查了一遍，觉得没什么问题。他又做了第三次的击球尝试，这次他仍告诉自己：“我是最棒的击球手。”然而他第三次的击球仍然失败了。突然他“哇”地大叫了一声，紧接着跳了起来：“我现在是最伟大的投手。”

我们有时也要学习故事中的男孩，学习他勇于尝试，在遇到挫折时不断给自己打气、加油，让自己永远都充满信心。即使失败，也不要自暴自弃，更不要抱怨，只要换一个角度看问题，换一个角度欣赏自己，挫折、失败、痛苦永远都击不垮我们。

古语云“懂得欣赏自己，才会有生活之乐趣”。世人也常说：“若连自己都不欣赏，那你又怎么会欣赏别人呢？”这些，都说明了欣赏自己的重要性。

欣赏自己，使你能够看到自己的潜能，并能最大限度地发掘出潜能来。坚信自己的能力，并按照自己的意愿坚定不移地追求梦想的人，比一遇到挫折就自我否定的人更具优势。

有一位业绩非常优秀的业务员，短短一年的时间，就晋升为业务部经理。很多人问及他的成功秘诀，他只说了四个字：自我鼓励。他说，每天早上出门工作之前，他都会对自己说三遍：

“你是最棒的业务员。”说完后，他就会在心里告诫自己：“今天你就要证明这一点，而且要天天如此。”一年之中，他每天都坚持这样做，渐渐地，他发现这种自我鼓励的方式真的给了他无比强烈的自信心。于是，每次和客户谈生意时，他都会以一种激情洋溢的状态投入，结果，他的业绩开始与日俱增。半年后，他居然为公司赚了50万元。

欣赏自己，鼓励自己是人生智慧的一部分。自我肯定的信念使我们不失希望，始终相信自己能够实现自己的理想，也能让我们不再为无法预知的未来而忧心忡忡、不再因为一时的失意而伤感，不再为漫漫人生而焦虑……

自我欣赏、自我鼓励是一种心理暗示，这种暗示能让我们信心百倍。人一旦失去了信心，就失去了存在的意义，因为一个对自己都不肯定的人，怎么会有勇气去肯定自己的人生呢？

欣赏自我，不是变态者的自恋，也不是自卑者的自怜。它是一种自我激励，激励着自己向着理想的方向发展，直至成功。哪怕是有缺陷的人，也会用乐观的态度来正视自己的缺陷。盲人女作家海伦·凯勒是这样自我欣赏的，她说：“我是独一无二的。不过我也是一个人，我不能做所有的事，但是能做一些事；我不会拒绝做自己能做的事。”

正视自己的缺点，能让我们有自知之明；欣赏自己的优点，能让我们充满自信。在欣赏别人的同时，也试着欣赏一下自己，你会发现，天空一样高远，大地一样宽广，谁都有比别人更优秀的地方。

人生就像喝咖啡

现在的生活瞬息万变，给我们的心灵造成了很大的冲击，我们心神不宁、烦躁不安，我们急于求成、盲目冲动……这种状态是我们想要的吗？有这样的生活方式，这样的心境，我们的生活能有幸福快乐可言吗？在这样一个浮华的年代里，我们更要保持一颗宁静的心，戒骄戒躁、脚踏实地地去做每一件该做的事，幸福和快乐就在我们品味生活的那一瞬间。

你喝过咖啡吗？当一杯咖啡摆在你面前，你是一口喝下，还是细细品味呢？只有细细品尝的人，才能感觉其中的滋味。

首先，闻其香。闭上眼睛，品味一下咖啡扑鼻而来的浓香；其次，观其色。最好的咖啡是呈现深棕色，不是黑得深不见底；最后，才是品尝，先慢慢喝上一口，感受一下原味咖啡的滋味，然后再小口小口地细细品尝，不要急于将咖啡一口咽下，让咖啡在口中含一会儿之后，轻轻咽下。

只有细细地品味咖啡，才能体会到喝咖啡的快乐，做其他事情不也是这样吗？人生就像喝咖啡。

很多时候，因为我们太急躁，所以我们的内心难以宁静；因为我们走得太匆忙，所以我们常常忽略了眼前的风景；因为我们太急促，所以我们的内心充满了痛苦……当我们放慢脚步、不急不躁，就会遏制悲伤、愤怒、抑郁、忧愁、失落等不良情绪，活出快乐。

韩剧《大长今》能够风靡一时，跟剧情总能反映出道理不无关系。长今还是医女的时候，她的老师申医官就教导她说：“聪明人不一定能成为好大夫，沉稳才是做大夫的必备条件，你必须学会这一点。”在整个剧情中，我们领略到了长今急而不躁的风格，她的稳重感染了很多人，她处事泰然让人折服。

皇上得了怪病卧床不起，医官们都束手无策，皇后派她研制处方，那时的长今也因此而急躁了，师傅张医官批评她说：“现在可不是急躁的时候，更不能想其他的事，事情已经发生了，它不会因为我们的担心、急躁而改变。”长今听了很有感触，她也是这么做的。在她坚持不懈地努力下，一步一步地找出治疗皇上病症的处方。最后，她们终于治好了皇上的怪病。

这件事过后，长今永远记住了“做大夫必须要沉稳”这句话，在以后的行医过程中也做到了这一点。

在剧中不光长今一人如此，在其他人身上也发生过类似的事情。当长今为一位难产的孕妇接生时，闵政浩和女儿晓贤去河边帮她提水。闵政浩因为心里着急，提着水桶走得飞快，水被洒得到处都是。晓贤跟在父亲后面喊道：“娘经常对我说，做事不可急躁，特别是对待病患的事一定不能急。”闵政浩被这句话触动，脚步也放得平稳了。

人的生命是有限的，我们也只能在有限的时间里完成有限的事。不管我们遇到的事情怎么多、怎么急，我们都要按部就班地做，千万不要急躁，因为急躁就是浪费时间。

毋庸置疑，人生中的很多痛苦、失败甚至是灾难，其罪魁祸首，往往就是不懂得忍让。冲动好像魔鬼，能让一个人失去正常的心智，从而给我们的人生带来痛苦。

一位世界级的网球选手，在最后一场决定胜负的比赛中，因为看台上的观众过于喧闹，而没有听清裁判的判决，因此失了一球，被激怒了的网球手顿时心烦意乱，对着观众和亲友团大叫。结果，这位世界网球手失掉了自己的发球局，最后也输掉了这场对于他来说非常重要的比赛。这位网球手不是败给了对手，而是输在了一时的急躁。

无独有偶，著名运动员齐达内也有类似惨痛的教训。2006年，在即将退役的齐达内的带领下，法国队进入了世界杯的决赛。齐达内状态很好，其他队员也是斗志正旺。从势头上看，法国队一定会获得冠军。然而，就在这场世界杯决赛上，因为听到对手马特拉奇一句挑衅的话，齐达内竟然用头撞倒了他！于是，一张红牌将这位法国队的核心球员罚下了场。那一晚，大力神杯和他离开球场时的背影组成的画面，成了最让人伤感的一幕。随后，法国队以微弱的劣势败给了阿根廷。

试想，如果齐达内面对马特拉奇的挑衅能够少一些怒气，多一些忍让，可能就会像人们预料的那样，法国队会捧得大力神

杯，齐达内是败给了瞬时的冲动。

我们还能找到很多类似的例子，其中的失败或者毁灭，并不是苍天弄人，很多时候，是因为我们火气太大。当悲伤、愤怒、忧愁等负面情绪纷至沓来时，很多人无法承受哪怕是一点点的重压而大发雷霆。殊不知，人生的快乐需要的是一分平和，一个人不管遇到什么事都能不急不躁的话，他的心就会走向安宁和快乐，生活就会获得淡定、快乐、顺意、成功。

快乐在哪里？快乐就在我们每个人的心田里。只要把心灵深处的浮躁抹去，保持一种宁静、淡泊的心态，遇事不骄不躁、沉着冷静，幸福和快乐就会常伴左右。

不松手，不将就，就不会有快乐

人的一生，其实就是一个不断妥协的过程。从生到死，我们不断地妥协。向时间妥协，向生活妥协，向命运妥协……很多时候，正是妥协成就了社会的和谐和人生的快乐。国家之间学会妥协，就能给世界带来和平与发展；同事之间学会妥协，就能给团队带来凝聚力；家人之间学会妥协，就能使家庭免于破裂，保持温馨、和睦！

有的时候，只要有一个人妥协、让步，事情的结果就会完全不同。也许有人会说：“我为什么要妥协？我绝不妥协，妥协不就意味着软弱无能吗？”其实不然。

华为总裁任正非说：“方向是不可以妥协的，原则也是不可妥协的。但是，在实现目标的过程中一切都可以妥协，只要它有利于目标的实现，为什么不能妥协一下？当目标方向清楚了，如果此路不通，我们妥协一下，绕个弯，总比原地踏步要好，干吗要一头撞到南墙上？”

小灵是一个顽皮的孩子，一天，她在外面玩，爸爸喊她回

家，她梗着脖子喊：“我不，我偏不。”结果，爸爸生气地揪着她的耳朵把她拎回了家。

小灵向妈妈要糖吃，妈妈说留到下次再吃吧，她鼓着眼睛叫：“我要，我就要。”结果，妈妈把已经给了她的糖也收了回去。小灵是不是太倔?

现在，小灵已经长大了，她的处世方式也成熟了许多，如果再碰到上面的事情，她会这样处理，她会对爸爸说：“让我再玩一会，我就回来。”她会对妈妈说：“再给我两粒，就两粒。”也许事情的结果会变成这样：爸爸允许小灵多玩了一会，妈妈又多给了小灵两粒糖。

生活中有很多事情是不能完全按照我们的意志进行转移的，因为世界不是某一个人的。山有山的尊严，水有水的意志，每个人都有每个人的想法。我们只有学着互相忍让、包容，才能和身边的人和睦相处。

有一位大姐泼辣能干、不拘小节，不喜欢做家务。一次，她丈夫出差，她就邀请自己的女友到家里做客。吃过晚饭，她让女友在家看电视，自己去买点东西。

守着满桌狼藉看电视，女友觉得很难受，于是她就收了碗筷送往厨房。一进厨房门，女友愣了：只见厨房的水池里，堆满了未洗刷的锅碗瓢盆，足足有二十多个。

看来，自丈夫出门后，这位大姐根本就没有洗过碗筷！虽然这位女友知道这位大姐不爱干家务，可没想到她竟懒到这种程度。女友实在是看不下去了，于是她用了整整一个小时帮大姐把厨房打扫得干干净净。

大姐回来后，女友问她，你不做家务你的丈夫不会跟你吵闹吗？大姐听后，竟然显出一脸的快乐和得意：“不会，他走的时候，还特意去买了些新碗，告诉我说只管用，留着他回来再刷，他知道我不喜欢刷碗。在这个问题上，这么些年他从来没有和我恼过。”

大姐还说，因为自己不干家务，婆婆有些不满，可她的老公认为，人无完人，妻子聪明能干、豁达开朗，不喜欢进厨房，这不算什么毛病，他不会计较这些。所以，结婚20年来，两个人一直恩爱如初。

台湾著名诗人余光中说：“婚姻是一种妥协的艺术。”实际上讲的就是婚姻生活中，两个人要互相磨合、互相适应。在现实生活中，不是有很多夫妻常常为了一点鸡毛蒜皮的小事而反目成仇吗？如果双方能多一些包容和妥协，那么将会给家庭增添多少快乐啊。当激情退去，平淡成为婚姻生活的主旋律时，妥协或许就成了快乐的催化剂，这样一来，快乐才会万年长，爱情也就能够缠缠绵绵到白头。

婚姻的幸福需要妥协，人生的幸福同样需要妥协。事实证明，在人生中，有时试图改变对方的努力往往是徒劳的，唯有忍让、求同存异，不断使自己向对方靠拢，适应对方，才能实现和谐幸福。

Part 04

放下与忘记，让清风自来

让我们从现在开始放下浮躁，放下懒惰，忘记所有的不愉快，用淡泊之心自我修炼。你若盛开，蝴蝶自来；心若绽放，清风自来。

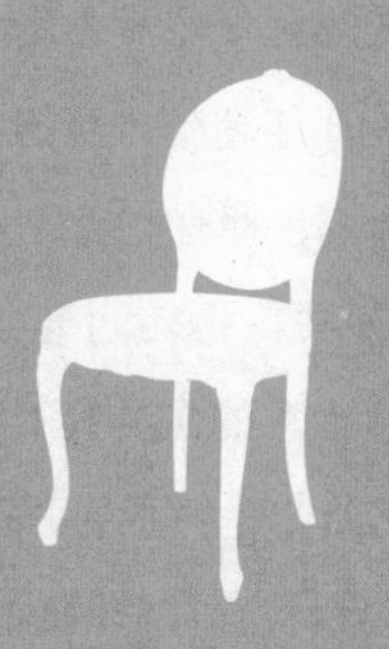

04

忘记是快乐生活的开始

漫漫人生路，坎坷和不幸随时会来到我们身边：朋友的背叛、亲人的远离、竞争的失败、事业的不顺、不测的病痛、突发的灾害……人生有太多意外，如果一切都无法避免，那我们不妨挥一挥衣袖，学会淡忘。淡忘过去，淡忘痛苦，淡忘一切。

茫茫人海中，抱怨痛苦的人多，宣称快乐的人少：穷人为衣食而终日忙碌，富人为金钱买不到快乐而伤心不已，老人为身体的病痛而痛苦呻吟，小孩子为没有自由而烦恼伤心……似乎人活在世上，总是痛苦的时候多，快乐的时候少。快乐真的离我们很远吗？不，你不快乐因为你没有学会淡忘。淡忘是拥有快乐的捷径，只有学会淡忘，人才能超越自身的束缚，释放出最大的能量，才会创造奇迹，才会真正拥有幸福。

古时候有位军医，随军队辗转南北，负责救治战场上的伤员。他的医术很高，被他治愈的伤员数不胜数。但随着时间的流逝，他发现越来越多的伤员都是熟悉的面孔。

原来，他治疗的许多病人往往刚刚痊愈，就又投入战场继续

作战，于是再次受伤。这种情况往复多次以后，他开始思考自己的工作：如果伤员命中注定要死，我又何必将他救活；如果我的救治是有意义的，那么他为何又去战死呢？ 一想到这些，他就觉得自己的工作毫无价值。于是他心神不定，精神恍惚。天长日久，他的精神开始崩溃了。他不明白当军医有何意义，心里乱得无法继续工作……

后来，他向一位世外高人求救。他跟随高人在山上住了几个月，过着那种“闲看庭前花开花落，漫随天外云卷云舒”的逍遥日子，终于找到了问题的症结所在，解开了这个困扰他许久的问题。再后来，他下山再次行医。每当看到伤病员熟悉的面孔时，他便对自己说：“因为我就是医生啊！其他的我不用管啊！”只此一句， 烦恼全无，他又重新投入工作。可见，人生中的烦恼，有很多是因为自己的患得患失造成的。就像故事中的那个医生，他能够将士兵从伤病中抢救过来，使他们痊愈，却没有权力不让他们再去冲锋陷阵，而一旦去冲锋陷阵伤亡就是难免的。作为一个战士，冲锋陷阵是他的使命，医生根本无力改变这一切，作为医生只要医好自己的每一位病人就可以了，如果顾虑太多，想得过多，只会让自己痛苦不堪。

人生正是如此，很多时候，我们总是在为自己无力改变的事情伤心不已，钻进了精神的死胡同，殊不知万事万物都有自己的规律，如果自己力所不能及，不妨学会放下。心放宽了，天地也就大了。

一个女孩莫名其妙地被老板炒了鱿鱼。老板要她下午到财务室结算工资。中午，她坐在公园的长椅上黯然神伤。突然，她发现一个小孩子一直站在她身边不走，便奇怪地问："你站在这里干什么？"

"这条长椅刚刚刷过油漆，我想看看你站起来的时候后背是什么样子。"小家伙说。女孩怔了怔，笑了。

忽然，女孩意识到如同这双天真烂漫的眼睛想看到自己后背的油漆一样，她那些精明世故的同事也怀着强烈的兴趣想要看到她的落魄和失意。她决不能在丢失了工作的同时，还丢失了自己的笑容、风度和尊严。选择和被选择是现在这个世界上时时刻刻都在发生着的最平常不过的事情，这个事情对于她的唯一意义便是提醒她必须改变、必须提高。

她决定淡忘这暂时的挫折，用平常心面对生活。短暂的自我调整之后，她又变得开朗了。于是，那天下午，同事们纷纷心照不宣地出来和她打招呼的时候，他们看到的是一张比平时更加平静、美丽的面容，同事们惊讶不已。可见，与其无力挽回，不如把它看淡。淡定，有时会让对手更加震撼。

人生在世，意想不到的事情太多：名利的得失和荣誉的毁损，无端的误解和不公正的遭遇，无中生有的流言蜚语和小道新闻……如果这一切都不可避免，那我们不妨挥一挥衣袖，学会淡忘，这样可以让我们去除很多不必要的烦恼，开辟另一条通往成功的大道，淡忘一切烦恼，将收获人生更多的幸福。

一次，英国维多利亚女王与丈夫吵了架，丈夫独自回到卧室闭门不出。女王进不去卧室，只好敲门。

丈夫在里边问：“谁？”

维多利亚傲然回答：“女王。”

没想到里边既不开门，又无声息。她只好再次敲门。

里边又问：“谁？”

“维多利亚。”女王回答。

里边还是没有动静。女王只得再次敲门。

里边再问：“谁？”

女王学乖了，柔声回答：“你的妻子。”

这一次，门开了。

可见，要想家庭和睦、幸福，在任何人面前，哪怕是自己朝夕相处的爱人面前也要淡忘自己高贵的身份。

在回家之前，应该把各种头衔、职位扔在脑后，女王也不能例外。淡忘功名利禄，将使你不会再有那种孤独的高处不胜寒的悲凉；淡忘物质浮华，将有助于你放下包袱，寻找到一份真正属于自己的幸福；淡忘曾经的痛楚，将有助于你轻装上阵，攀登人生新的高峰。

所以，人生并非只有痛苦，快乐其实无处不在。只要你学会放下，学会淡忘，快乐就会来到你身边。淡忘不幸，因为痛苦的日子总会过去；淡忘失意，让烦恼从脚趾尖轻轻地滑走；淡忘不快，让脑内的阴霾随风飘散，还自己一片明亮的天空。当痛苦和不幸来临时，只要你记住乌云笼罩并不可怕，挥一挥衣袖，淡忘一切烦恼，那么，明天一定还是艳阳高照！

快乐会在下一个路口等着你

缘聚缘散，分分离离，人世间每天都上演着许多凄婉、缠绵的爱情故事。有的人为了得到爱情千方百计，有的人为失去了爱情伤心不已。殊不知世事无常，所谓月有阴晴圆缺，人有悲欢离合，有的东西你再喜欢也不会属于你，有的东西你再留恋也注定要放弃。与其痛不欲生，不如学会忘记，忘记过去，快乐会在下一个路口等着你。

爱情是千百年来人类经久不息的话题，爱情是人生中一首永远也唱不完的歌谣。古今中外，关于爱情的故事数不胜数：梁山伯与祝英台化蝶的故事感动了多少华夏儿女；罗密欧与朱丽叶合埋的佳话更是传遍了国内外；“泰坦尼克”号上露丝和杰克的生死分离让人震撼；日本上演的幸子和光夫的爱情悲剧让人落泪……

人世间的爱情，有时并不一定能够坚持到彼岸，遭遇搁浅或者遇到暗礁的时候会更多。当爱情的阴霾来了，千万不要自暴自弃。人的一生也许会经历许多次爱，千万别让爱成为一种伤害，要学会忘记。

刚和卉是在工作时认识的，卉很稳重，这正是刚所喜欢的。卉平时话很少，每次都是刚有事没事去找她说话，时间久了自然成了好朋友。刚见不到她就会感觉心里空空的，见到她就会特别高兴，所以每天都盼着上班，工作自然有劲。

可好景不长，卉因病辞掉了工作，之后他们见面的机会少了很多。刚觉得这对自己来说就是煎熬。没有卉的日子，刚感觉做什么都没有意义，刚意识到自己真的爱上了她。但是刚不敢向她表白，因为害怕说出来后会被拒绝。

最终，想要赌一把的刚鼓起勇气向她表白了，卉好像很惊讶，说她考虑考虑，当时刚以为是有希望的。谁知两天后，卉告诉刚说他们不合适。但是刚并没有死心，第二天又去找卉，希望能有奇迹出现，刚又问了卉："难道真的一点机会都不能给我吗？"可她的回答依然是那么坚决。

离开卉后，刚忽然感觉轻松了许多，本以为自己会发泄一通，却发泄不出来……他不知道自己为什么会这么平静。难道真的没爱过她吗？不是，当初为了她甚至可以抛弃一切，可在被她拒绝以后自己并没有想象的那么难过……这是为什么呢？最终，刚想明白了，这也许就是人们常说的聚散随缘吧。

可见，舍弃有时反而能让人得到解脱。刚的舍弃，让他绕过了爱情的藩篱，满怀信心地走向人生的下一站。

生活当中，人们往往深陷这样的泥潭不能自拔：越是得不到的东西，越是朝思暮想，越是苦苦追求，结果把自己弄得疲惫不堪。所以很多人在迫不得已舍弃以后，觉得整个人生都失去了意义：天是黑的，云是灰的，心是冷的，失去了快乐，失去了自信，甚至失去了生活的激情。

有一个小男孩，他和邻居家的小朋友一起玩。邻居家的小朋友要抢小男孩的玩具，小男孩紧紧抓住不放。邻居家的小朋友狠狠地打了小男孩一拳，疼痛难忍的小男孩情急之下不得不放手，看着失去了玩具的小男孩，邻居家的小朋友哈哈大笑，幸灾乐祸地说了句：“看，要你放手还不简单。”

也许因为这个教训太惨痛，也许因为这句话太伤人，从此小男孩在心里暗暗地发誓：以后不管遇到什么情况，一定不能轻易放手。

后来男孩渐渐地长大，长大后的男孩和一个女孩相恋了，他们在一起甜蜜地相处了一段时间。可有一天女孩突然提出了分手，并要离开他们居住的小屋。眼看着女孩坚决地收拾东西，小时的那一幕浮现在眼前，“绝不能放手！”有一个声音在耳旁响起。痛苦的男孩抓着女孩的手不让她离开，挣扎中女孩狠狠地咬了他一下，男孩措手不及，女孩落荒而逃。

后来，男孩发现自己无意中从女孩衣服上拽下了一样东西，于是他如获至宝，整天把它带在身边，一有空闲便紧紧握在手心，舍不得松开。

男孩的痴心感动了另外一个女孩，她很同情这个男孩的过去，并希望能够为他做点什么。于是她接近男孩并开导他，一段时间以后，女孩发现自己不可救药地爱上了这个男孩，爱上了这个至真至诚的人。

为了唤醒男孩的痴情，更为了表白自己的真情，有一天，女孩把男孩约到海边，女孩摘下随身佩戴的一件挂坠，男孩知道那是女孩的至爱之物，是女孩的母亲留给女儿的唯一的遗物，对她来说十分重要。男孩不明白女孩接下来要做什么。

“你看”，女孩说，只见女孩双手紧紧抓住挂坠贴在胸前，看着大海喊着男孩的名字，“我想和你永远在一起，我愿意用我最重要的东西来换。”说完她不舍地看了手中的挂坠最后一眼，然后毫不犹豫地把挂坠扔向了大海。

“噗”的一声，挂坠在大海中消失得无影无踪。男孩惊讶地说：“你这样做值得吗？”

“放手其实很简单”，女孩坚定地看着男孩，男孩怔了怔，好久好久，男孩哭了，哭得好伤心。他松开那只紧握的手，慢慢地打开了手心，里面是一枚变了形的胸花，这是男孩送给他曾经的女朋友的第一个礼物，男孩就这么低着头看着手中的那枚胸花。

好久，男孩抬起头来，坚定地对着大海喊：“我会忘记你的，我永远也不要再想起你。”说完，他用尽全身力气把手中的胸花扔向大海。

又是“噗”的一声，胸花飞向了大海深处，男孩与女孩紧紧拥抱在一起，水面上溅起了一圈又一圈美丽的水花……

“山重水复疑无路，柳暗花明又一村”，正是因为男孩忘记了过去，他才收获了真正属于他的爱情。

可见，“忘记过去”并不意味着一无所有，相反，你很可能在失去一些毫无价值的东西之后收获更多。爱是一曲悲欢离合交织的歌，红尘中的男女很难挣脱爱恨纠缠的情网，如果一味沉湎过去，只会让人生的路越走越窄。倘若真正理解爱情的含义，就会明白很多事情只可随缘，有些东西该离去的就让它离去，紧紧抓住不放的不一定就是幸福，眼前所拥有的才最珍贵……

所以，要做一个快乐的人，一定要学会忘记，忘记过去，舍弃不属于你的东西。退一步海阔天空，让三分天高云淡，已经失去的东西不要太过在意，在你积极处世的背后，还有一段真正的幸福在下一个路口等着你，这又何尝不是一种意外的快乐呢？

快乐就是放弃、放下和放空

大千世界，忙忙碌碌，很多人都将事业的成功与名利的获得视为人生最大的乐趣，认为只有得到了名和利才是快乐，其实这是误解了快乐的含义，真正的快乐绝不是你在事业上获得了多么大的成功，也不是你拥有了多么多的金钱、多么高的地位，而是你享受了多少生活的乐趣。

“天下熙熙皆为利来，天下攘攘皆为利往”，司马迁在《史记》中这样写道，殊不知三千年前的这句名言同样适用于当今社会，现在的社会中，为了一亩三分田亲兄弟闹翻脸的事情屡见不鲜；为了一个位子挖空心思、千方百计损人利己的事情更是常见报端。利字放中央，情意放两旁，现实世界中人们活得很累，毫无快乐可言。其实人生短短几十年，根本没有必要为了那些所谓的名和利撑得那么狼狈，功名利禄虽然诱人，但是一切都会过去，正所谓“一切都是浮云”，人只要感觉到自己快乐就好，该忘记的还是要忘记，该放手的还是要放手，珍惜你所拥有的，这才是最大的快乐。

一个和尚前去拜访青山禅师，青山禅师见有客来访便将自己珍藏的极品香茶拿出来让他品尝。

和尚见此茶色泽鲜美，闻后更是令人心旷神怡，知道这茶一定是禅师珍藏的物品，于是就问禅师："您觉得您最珍贵的东西是什么？"

青山禅师听了和尚的话后抬起头来，恰好看到了窗外一棵大树上有一只死猫，于是就随口回道："死猫。"

和尚对青山禅师的回答感到莫名其妙，于是忍不住问："死了的猫已经没有价值了，怎么会是您最珍贵的东西呢？"

青山禅师见和尚十分不解，就耐心地回答说："世上有多少人为了名利、权势争斗不已，有的人甚至还不顾彼此的情意，反目成仇，但是最后只落得竹篮打水一场空，又有什么快乐可言呢？"

青山禅师顿了顿，接着说："反而是那些最不引人注意的东西，譬如这只死猫，才是人间不可多得的珍宝。它让人懂得生命的可贵，懂得惜福，它提醒人们活着才是最大的快乐，其他的一切都是过眼云烟。阿弥陀佛，你说它是不是最珍贵的呢？"

青山禅师的话让和尚沉思良久。

功名利禄都是过眼云烟，学会放手，活着才是人生最大的快乐，这是青山禅师告诉我们的做人的道理。

是呀，也许我们无法做到像青山禅师那样超尘脱俗，红尘中的我们为了生活不得不追求一些生活必需的物质，但在追求的过程中只希望我们不要迷失自我，有时适度的放手，反而会让事情朝更好的方向发展。面对事业、婚姻、家庭等，我们常常像溺水者捞到最后一根稻草，死死不放，其实，有时我们手中紧紧抓住不放的，也许并不是生命中不可或缺的珍宝，应该放手的时候不放手，有时反而会失去得更多。

某个村庄里有两个贫苦的樵夫，他们靠着上山捡柴养家糊口。有一天，他们在山里发现两大包棉花，两人喜出望外。棉花价格高过柴薪数倍，如果将这两包棉花卖掉，可供家人一个月衣食无忧。当下两人各自背了一包棉花，便欲赶路回家。

两人走着走着，其中一位樵夫眼尖，看到山路上扔着一大捆布，走近细看，竟是上等的细麻布，足足有十匹之多。他欣喜之余，和同伴商量，一起放下背负的棉花，改背麻布回家。

他的同伴却有不同的看法，认为自己背着棉花已经走了一大段路，到了这里丢下棉花，岂不枉费自己先前的辛苦，坚持不愿换麻布。先前发现麻布的樵夫见屡劝同伴不听，最后只得背起麻布，继续前行。又走了一段路后，背麻布的樵夫望见林中有东西闪闪发光，走上前一看，地上竟然有数坛黄金，心想这下可发财了，赶忙邀同伴放下肩头的麻布及棉花，改用挑柴的扁担挑黄金。他同伴仍是那套不愿丢下棉花，以免枉费辛苦的论调，甚至还怀疑那些黄金是不是真的，劝他不要白费力气，免得到头来空欢喜一场。

发现黄金的樵夫只好自己挑了两坛黄金，和背棉花的伙伴赶路回家。走到山下时，突然下了一场大雨，两个人因为没有东西遮挡结果被淋了个湿透。更不幸的是，背棉花的樵夫背上的大包棉花，吸饱了雨水，重得无法背动，那樵夫不得已，只能丢下一路辛苦舍不得放弃的棉花，空着手和挑着黄金的同伴回家去了。

可见，不懂得放手，顾虑重重，有时反而会失去更多。

背黄金的樵夫因为果断，知道放手，所以他收获了许多，享受到了快乐和幸福，而背棉花的樵夫瞻前顾后，结果一无所获，留下的只有懊恼。其实，放手并不意味着失去，只是多了一份可供选择的空间；放手，也不意味着抽身不管，只是明白我们不能控制一些事物；放手，就是承认自己有所不能；放手，就是认识到不可能事事遂心。所以，学会放手，是一种明智的生活态度。

寺院里新来的小和尚对什么都好奇。秋天，寺院里漫天的红叶飞舞，小和尚跑去问禅师："师父，您看这红叶这么美，为什么会掉呢？"师父笑了笑说："因为冬天来了，树撑不住那么多叶子，只好放下叶子啊。你要明白这不是'放弃'，而是'放下'。"

冬天来了，寺院里的和尚把院子里的水缸扣过来，小和尚不明白师兄们为什么那样做，于是又跑去问师父："师父，为什么好好的水要倒掉呢？"师父笑了笑说："因为冬天冷，如果缸里有水会结冰膨胀，那样的话会把缸撑破，所以要把水倒干净。这不是'真空'，是'放空'！"

冬天的雪下得很厚，一层又一层，几棵盆栽的龙柏上也堆满了厚厚的雪。师父吩咐弟子把盆搬倒，让树躺下来。小和尚不明此意，着急地问禅师："龙柏好好的，为什么要把它弄倒呢？"师父正色说道："谁说好好的？难道你没有看见雪把树枝都压塌了吗？如果再压下去就断了。我们这样做不是'放倒'，是'放平'。为了保护它，将它放平，等雪不下了再扶起来。"

天越来越冷了，寺院里上香的人少了，香火也少了，小和尚很

紧张，跑去问师父该怎么办。师父说：“天这么冷，你少吃了、少穿了吗？你现在去数数柜子里还挂了多少衣服？柴房里还堆了多少柴？仓库里还积了多少土豆？不用担心，你应该想想现在拥有的。我们的苦日子会过去的，冬天过后便是春天，你要放心我们会过得很好的。‘放心’不是‘不用心’，是把心安顿。”

春天很快来了，雪水融化了，春花烂漫胜于往年，殿前的香火也渐渐恢复往日的盛况。师父要出远门了，小和尚追到山门问：“师父您走了，我们怎么办？”师父笑着挥挥手说：“只要你们能放下、放空、放平、放心，我还有什么不能放手的呢？”

可见，放手不是“放弃”而是“放下”；放手不是“真空”而是“放空”；放手不是“放倒”而是“放平”；放手不是“不用心”而是“把心安顿”。人生在世，任何事、任何人都不会让你总是称心如意，完美不会永远伴随你。面对现实社会太多的诱惑，我们应该学会放手，否则永远不会让自己快乐起来。

所以，如果你希望做一个快乐的人，那就适当地放手吧。适当地放手，不是悲观而是乐观，是对生活少一点害怕，多一些热爱，是甩掉不必要的包袱，轻装上阵。就像整理自己的房间一样，该丢的丢，该放的放，能带给你快乐和幸福的就留下，而给你带来悲伤或者痛苦的东西统统要扔掉。如果你这样做了，你就会惊奇地发现：天这样蓝，云这样轻，生活如此美好，快乐原来如此简单！

忘记痛苦，让快乐伴你左右

想要拥有快乐就要懂得忘记，忘记悲伤就会收获希望，忘记痛苦就会收获快乐。懂得忘记的人，不会被是非、烦恼困住自由的心；懂得忘记的人，不会被名利、恩怨缠住轻松的身体；懂得忘记的人，会用一种淡定而从容的心态去面对生活的纷扰；懂得忘记的人，会珍惜身边的幸福，让快乐常伴左右。

心理学家说过，人不但要学会记忆，而且要学会遗忘。可是在现实生活中，我们常会看到这样的现象：有些人记忆力特别好，曾经的鸡毛蒜皮小事、恩恩怨怨他全都如数家珍，不肯遗忘，结果不但一事无成，而且病体沉沉；而有一些人则心胸豁达，不该记住的绝对不会记在心里，大度处事，大度为人，所以诸事通达，身心健康。

由此可见，忘记不仅是一种智慧，而且是一种怡情悦性的方法。人有记忆的本领，这是上苍对人类的馈赠，可同时它又是一把双刃剑：对心胸宽阔的人来说是最好的礼物，对心胸狭窄的人来说则是自己对自己的折磨。因为豁达的人记住的是别人的美好

和善举，而狭隘的人只会拿痛苦的往事折磨自己。

所以，忘记并不代表冷漠，只是有些不该记住的痛苦，如果常留心间，只会给自己增添痛苦。过去的是非恩怨，过去的伤害误解，不过是一片片浮云，拂去它，剩下的就会是快乐。

谭恩美是美籍华裔女作家，她的作品生动感人，温婉的语言每每触及读者的灵魂。可是，没有人相信，在谭恩美16岁的时候，她曾用充满仇恨的语气喊道："我恨你！我恨不得你死掉……"而当时站在她面前的就是她的母亲。

在谭恩美的记忆中，少年时与母亲的争吵似乎一直持续着，每次争吵之后，母亲都会露出一个近乎疯狂的扭曲微笑，然后在喘息中大声嚷道："好啊！我也许是该死掉，这样我就不用当你妈妈了！" 然后在接下来的日子里，两人以冷战相对，冷战结束后，依然是争吵。

最让少年谭恩美受不了的，是母亲经常在别人面前批评、羞辱她，禁止她做某些事情，哪怕谭恩美有充足的理由。母亲不要理由，只会批评，这让谭恩美暗自发誓：永远不忘记这些委屈！要让自己的心硬起来，像母亲那样！

30年后，谭恩美意外地接到了母亲的一个电话，这让她惊讶万分，因为母亲患上老年痴呆症已经三年多了，她忘记了许多人、许多事，甚至无法讲出连贯的话语。

但话筒那边确实是母亲焦急的声音："恩美！我的脑子出问题了！"

谭恩美屏住了呼吸。

“我觉得很多事我都记不得了，昨天我做了什么？对你做了什么？我不记得很久以前到底发生过什么事……”母亲说话的时候好像一个溺水的人，挣扎着，却发现自己越陷越深。

“你不要担心！”谭恩美终于能说出话了。

“不！我知道我做过一些伤害你的事情！”母亲在电话那头叫起来。

谭恩美马上回答：“你没有，真的，别担心。”

“我真的想不起来了！但我知道，我做过一些可怕的事情……我只想告诉你……我希望你能像我一样把它忘掉。”母亲说。

“真的没有，别担心。”谭恩美只能重复这几个字，因为她哽咽着，她不想让母亲听出来。

“真的吗？”母亲平静了一些，“好吧，我只是想让你知道。”

挂上电话，谭恩美大声哭了出来，既伤心，又幸福。

六个月后，母亲病逝了。她及时把最能抚慰女儿的话留给了女儿，好似拨开云雾后那开阔、湛蓝的天空。

“忘掉仇恨和痛苦，记住亲情与关怀，这才是人生最重要的。”谭恩美在母亲的葬礼上如是说。

可见，忘记是对痛苦的一种解脱，是对伤害的一种抚慰，是对自我的一种释放。“往事如烟俱忘却，心底无私天地宽”，在人生的旅途中，要学会把那些伤心事、烦心事、累心事抛之脑后，让心中不快乐的印记消失殆尽。

有人说人心如杯，不倒去旧水，就无法盛装新水。生活也是如此，如果不愿意舍弃过去，忘记曾经的痛苦，就无法让心灵成为一个空杯，无法承载新的生活。很多时候，生活不再精彩，不是因为生活反复无常，而是因为人们背负的太重。所以忘记痛苦，倒空旧水，你会发现空杯原来可以容纳更多美好的甘露。

忘记痛苦，需要加强心灵承受能力的锻炼，做一个内心足够强大的人。要以宽心示人，心系眼前事，挂念眼前人，宁静致远；还要经常进行自我心理调节，想宽一点，想远一点，想开一点，从无足轻重的个人恩怨中解脱出来，对已经和现在没有任何关系的往事，要糊涂一点，淡化一点，宽容一点，不要让它们在记忆中占有任何位置。

所以，沉湎于痛苦的朋友们，要知道天下没有不可谅解的过错，没有不可忘却的烦恼。忘记痛苦吧，清除头脑中所有不愉快的记忆，还心灵一片自由的空间，让快乐伴你左右！

错过就算了，只要不一错再错

印度诗人泰戈尔说过：“如果你错过了太阳，就不要再错过了群星”。是的，人的一生，难免会错过一些东西：时间、机遇、亲情、友情、爱情……错过并不可怕，只要快乐面对，一切还有重新开始的可能，但是不能一错再错，不知改错的人上帝也不会饶恕他。

“早知道我们分开后会变成这样，我当初就不该……”

“要知道会这样，当初就不该听你的话……”

“假如……我会……”，我们总习惯为过去做的某个选择而后悔。其实，很多时候我们已经选择了一条路，就无法确定选另一条路的结果。假如当初我们做的是另外一个决定，那么一定就会比现在更好吗？不，没有什么是绝对的。一个人如果有太多的假如，那么他的心就会承载太多的过去，活在痛苦中。其实想要快乐并不难，错过了一些东西就错过了，忘记过去，珍惜眼前，只要抓住眼前的机会，努力追求，快乐还可以再回来。

英国剑桥大学要在中国招一名学生，这名学生的费用由英国政府全额提供。初试结束后，有20名学生成为候选人。

面试的那一天，20名学生在其家长的陪同下，在希尔顿大酒店等待面试。当主考官詹姆斯出现在饭店的大厅时，大家一下子把他围了起来，他们用流利的英语向他问候，有的甚至迫不及待地向他做自我介绍。这时，只有一名学生，由于起身晚了一步，没来得及围上去，等他想接近主考官的时候，主考官已经被围得水泄不通了，根本没有插空而入的可能。

于是他错过了接近主考官的大好机会，他觉得自己也许已经错过了机会，于是有些懊丧起来。正在这时，他看见一个外国女人有些落寞地站在大厅一角，目光茫然地望着窗外，他想：身在异国的她是不是遇到了什么麻烦，不知自己能不能帮上忙。于是他走过去，彬彬有礼地和她打招呼，然后向她做了自我介绍，最后他问道："夫人，您有什么需要我帮助的吗？"接下来两个人聊得非常投机。

后来，这名学生被詹姆斯选中了，虽然在面试之前他错过了跟主考官套近乎的最佳机会，但是他却"无心插柳柳成荫"。原来，那位异国女子正是詹姆斯的夫人，这件事引起很多人的震动：原来错过并不意味着绝望，有时甚至可能是圆满。

可见，错过并不可怕，只要你拥有从容的心态，就还会重新获取机会。人生要留一份从容给自己，这样你就可以对不顺心的事，处之泰然；对名利得失，顺其自然。人生总是有得有失，有成有败，要知道世上所有的机遇并不都是为你而设的，生命之舟本来就是在得失之间浮沉！难道不是吗？好的机会人人珍惜，然而却并非我们都能抓住，错过了并不代表永远失去，关键是不要一错再错。

有一个僧人曾到某一知名禅师处学禅，但是由于个性原因，他不喜欢问禅，总是在被动中摸索，以致多年毫无收获。

一天，禅师见到这个僧人，忍不住说道："自从你来此学禅，好像已有十二个秋冬了，但你怎么从来不向我问道呢？"

僧人连忙答道："老禅师每日都很忙，学僧实在不敢打扰。"

时光匆匆，转眼又是五年。有一次，禅师在路上又遇到了这个僧人，再问道："你在参禅修道上，有什么问题吗?有的话，就提出来。"

僧人回答道："老禅师您这么忙，学僧不敢随便和您讲话！"

又是三年过去了，这个僧人经过禅师的禅房，禅师又对他说道："你过来，今天我有空，请到我的禅室来谈谈禅道吧。"

僧人赶快合掌作礼道："老禅师很忙，我怎敢随便浪费您的时间呢？"

禅师知道这个学僧过分谦虚，不敢直接问道，错过很多，所以再怎么参禅，也是不能开悟的。

二十年后，僧人学道期满，向禅师告别的时候，禅师问："学道坐禅，要不断参究，你为何老是不来问我呢？"

这个僧人仍然应道："老禅师您很忙，学僧不便打扰！"

禅师当下大声喝道："忙！忙！我究竟是为谁在忙呢？除了别人，我也可以为你忙呀！"

禅师一句“我也可以为你忙”的话，让这个僧人恍然大悟，可是已经悔之晚矣。他因为顾虑太多，错过了很多问法的机会，结果失去了宝贵的二十年光阴，作为一个僧人，他学无所获，又有什么比这更让人伤心的呢，所以年老的他只能终日独自叹息、忧心忡忡，与快乐彻底绝缘!

是的，很多东西错过一次并不可怕，可怕的是一错再错，这样你将永远失去弥补的机会。时间是这样，情感更是如此。爱情的生命也是有保存期限的，爱要说出来，更要做出来，如果只把别人对你的爱当成理所应当，那么唯一的结果就是与它错过。

珍和强是一对好朋友，很早的时候，珍就问强：“你错过了什么?”

20岁时，强痛苦地回答：“我错过了我喜欢的第一个女孩，错过了向她表白的机会，这将是我终生的遗憾。”

22岁时，强沧桑地说：“我错过了当一名画家的梦想，而是做了一名公司职员。”

25岁时，已经成为珍丈夫的强沮丧地回答她：“我错过了一个新的工作机会。”

35岁时，强生气地告诉她：“我刚错过了一个晋升的机会。”

45岁时，强伤心地说：“我错过了与亲人见最后一面的机会。”

55岁时，强失望地回答：“我错过了退休的好时机。”

65岁时，强匆匆地说：“我错过了看牙医的时间。”

一如往常地，珍总是回以微笑，但微笑中总带着些落寞，这点强从来没有注意过。

75岁那年，珍终于不再问强了。强跪坐在病危的珍面前，想起太太每隔一段时间，总要问他的问题，他反过来问太太：“你错过了什么？”

珍微笑中带着解脱与满足回答：“这一生，我没有错过你！”

此时，强已经泪流满面，原以为两人可以永远在一起，所以，终日忙着工作与烦琐的事，却从不曾用心体贴朝夕相处的另一半。

强老泪纵横，紧紧抱着珍说：“这辈子，我错过了你这50年来的深情……”

可见，人在拥有时，总是习以为常，视之为理所当然，直到那份感情已远离你而去的时候，才后悔莫及，可惜已经为时晚矣！强错过了对珍的关心，没有给妻子带来应有的快乐，等到想要弥补时，才发现永远没有机会了。这正如歌词中唱的：有些事错过了可以重来，有些人错过了就永远不在。

是的，岁月会把拥有变为失去，也会把失去变为拥有。你当年所拥有的，可能今天正在失去，当年失去的，可能远不如今天你所拥有的。有时候错过正是今后拥有的起点，而有时候拥有恰恰是今后失去的理由。所以，错过一次并不可怕，关键是不能一错再错！及时发现，珍惜拥有，你才能真正得到人生的快乐！

放得下，快乐才来得了

经常听人这样说，现在生活富了，条件好了，腰包鼓了，快乐却少了。其实快乐与不快乐，全在于能不能放下。放下，是一种生活的智慧；放下，是一门心灵的学问。人生在世，有些事情不必在意，有些事情必须清空。只有懂得放下，你的心灵才能腾出空间，盛装真正属于你的快乐。

在这个世界上，痛苦的人多，快乐的人少：有了房子要车子，有了车子要票子，有了票子要折子，有了折子还不够，还要寻找刺激。似乎人的本性就是这样：永远忙碌，永不满足，近在咫尺的东西大家往往视而不见，非要辛苦地去追逐那些遥不可及的东西，可是一回头，发现身边拥有的又不见了，于是追悔莫及，伤心不已。

在这个世界上，为什么有的人活得轻松，有的人活得沉重？前者是因为放得下，后者是因为放不下。每个人都会经历一些事情：悲伤的、快乐的，痛苦的、沉重的，智者会从往事中提炼出经验、智慧，而狭隘的人却把这些压在心头，成为一种负担，一种累赘，一味去追究、较真，他们对过去的事情不能放下，既伤害了自己，也伤害了别人。

小美和小张是幸福的一对儿，结婚两年他们从没争吵过一次。在他们的共同努力下，他们终于买了一套新房。

在收拾东西搬家那天，小美无意中发现了丈夫小张以前的日记本。好奇心驱使小美翻开了小张那本大学时的日记本。从中小美得知小张与前女友的种种事情。小美很气愤，拿此事质问小张，还不断地逼问小张，让他讲述他与前女友的详细情况。可事隔多年，小张哪里还能详细地回忆起以前的种种事情。为了这件事，夫妻二人开始了一次次的争执。从此，他们的幸福生活被打破了。

小美无论走到哪里，都会想丈夫和他的女朋友以前来没来过这里。小美的生活中多了个自己想象出来的“第三者”，她再也无法和小张平静地生活下去，最后，小美竟然提出要和小张离婚。

可见，不懂得放下，快乐没有了，婚姻也亮起了红灯。

小美的悲剧是她不懂得放下“惹的祸”。过去的事情已经过去，我们大可不必再抓着不放，对待过去最好的态度是放下，我们不要总是活在过去，或在回忆中浪费时间。过去是无法改变的，但现在却是主动的，把握好现在，我们才可以活得轻松，才会感受到快乐的存在。正像有首歌里唱的那样：“过去的事不再想，因你现在不算老，还有什么放不下，请你还把歌儿唱……”

杰克·登普西是美国前拳击运动员，他曾是1919年至1926年

的世界重量级冠军。在与吉内·腾尼的一次比赛中，登普西被腾尼击败。他并不甘心，不久后，登普西再次与腾尼对垒。比赛中登普西将腾尼击倒，但没有及时地回到拳台边角。裁判让登普西回到边角后才开始给滕尼数点，这使滕尼多休息了四秒。比赛的最终结果是腾尼得分获胜。

这次比赛让登普西把“世界拳王”的称号输给了腾尼。面对这样惨痛的结果，登普西对自己说：“我不打算生活在过去里，我要承受住这一次的打击，不能让它把我击垮。”

登普西很快从比赛的失败中走出来，退役后，他投身商业。他在纽约百老汇附近开设的一家以他名字命名的餐馆生意兴隆，顾客盈门，许多人慕名前来，一睹他的风采。登普西在幸福中度过了自己的晚年。

可见，只有放下，才能使生活井井有条，才有可能创造生活的另一个奇迹。登普西正是由于放下了过去的失败，才没有被惨痛的失败所打倒，才能重整旗鼓创造了在商业领域的又一个辉煌，当然也收获了人生真正的快乐。

是的，如果我们永远沉湎在悲伤中无法放下，那我们将永远悲伤；如果我们所想的都是快乐的东西，那我们自然而然就可以获得快乐；如果我们心头笼罩的全都是失败的阴影，那我们将无法走出痛苦的泥潭。

这正如一位名人所说的：“你并不是你想象中的那种样子，而你却会是你所想的那种人。”

这是一个真实的故事，一个刚从精神病院走出的患者回忆了他三十年来的人生历程：

他说："我对什么事情都忧虑。我之所以忧虑，是因为我担心的事情太多了。

上学时，我发现我每天都掉很多头发，于是我怀疑我得了某种疾病；

离开学校走上社会时，我担心我给别人的印象不好，找不到好工作；

谈恋爱时，我担心我心仪的那个女孩子不喜欢我，担心自己永远都赚不到足够的钱来娶她；

结婚后，我担心自己无法和妻子相处，担心妻子有一天突然离开，担心自己不能做一个好父亲。

……

这些忧虑每天都折磨着我，我觉得我被所有的人抛弃了——甚至连最仁慈的上帝也抛弃了我。我真想跳进河里，一死了之。

我不能和家人沟通，我无法控制自己的思想，心里充满了恐惧，只要稍有声响，我就会吓得跳起来。我躲开每个人，常常无缘无故地放声大哭。

后来，我的身体有了不适，我担心我是不是得了绝症，我无法再继续工作下去，只好辞去了工作。我的内心越来越紧张，就像一个没有安全阀的锅炉，内心的压力终于达到了令人难以忍受的地步——真的出事了。

所以，我想对人们说，如果你从来没有经历过这种精神上的折磨的话，祈祷上帝，让你永远也不要有这种体验吧，因为没有

任何一种肉体上的痛苦能够比精神上的极度痛苦更厉害的了。”

可见，正是由于想得太多，不懂得放下，所以这个人才会精神崩溃，走进痛苦的深渊。

快乐其实并不难，它是一种心境，甚至可以受行动感染。当你饱受各种烦恼困扰，整个人紧张不安的时候，你不妨挺起胸膛，做一个深呼吸，然后唱一首小曲，如果你不会唱，那就吹吹口哨，如果你不会吹口哨，那就哼一首歌。很快你就会发现当你努力用行动展示你的快乐时，快乐就会来到你的身边。

其实，一个人快乐与否并不取决于他有多少金钱，或者他有多么崇高的地位，而只取决于他的心境如何，懂不懂得放下。所以，要想快乐常驻你身边，那就放下一切吧，放下重担、放下包袱、放下工作、放下情感、放下官职、放下财富，只有放下得越多，收获才会越多；收获越多，人生的快乐也就越多。

拿得起、忘得掉，你就会快乐

拿得起是一种勇气，忘得掉是一种度量。一个人对于人生道路上的坎坷与泥泞，能坦然承受，这是拿得起；对于人生道路上的鲜花与掌声，能以一颗漠然的心态对之，这是忘得掉。拿得起，实为可贵；忘得掉，更让人钦佩。

在这个物欲横流的社会，许多人活得很累，心灵包袱也越来越重：既有票子、位子、房子、车子的诱惑，又有爱恨情仇的困扰。于是，许多人天天喊着累、日日高呼着郁闷。是的，日趋激烈的竞争，日益加剧的冲突，日益淡漠的人情，往往搅得人心慌意乱、痛苦不已。因此，要想走出痛苦的深渊，就得放下一些个人的恩怨，释放一些内心世界的压力，否则，生活就毫无快乐可言。

著名科学家爱迪生说过：“没有选择就没有放弃，没有选择就没有发展。”是的，人生是由无数个选择组成的，每一个选择都可能改变生命的航向。生命并非一帆风顺，危机和挑战随时随地存在，如果此时此地的生活不能让你快乐，不能让你实现人生的愿望，你何不勇敢地尝试另辟蹊径呢？

选择什么样的生活是你自己的权利，别人无权干涉。每个人的生命都是伟大的、富有创造力的，当你失意的时候，如果一味沉浸在过去的痛苦里，只能白白地浪费光阴。只有拿得起，忘得掉，包容过去，通融未来，才有可能创造人生新的春天。翻开成功人士的历史，你就会发现这样的例子到处都是。

清朝著名文学家蒲松龄四次考试都落第了，最后他决定放弃科考这条可以使自己走上仕途的道路，而选择了著书立说。

蒲松龄立志要写一部“孤愤之书”，于是他在压纸的铜尺上镌刻了一副著名的对联：有志者，事竟成，破釜沉舟，百二秦关终属楚；苦心人，天不负，卧薪尝胆，三千越甲可吞吴。

蒲松龄以这副对联自敬自勉，历经几十个春秋，他终于写成了一部经典文学巨著——《聊斋志异》，而他自己也成了万古流芳的文学家。

蒲松龄虽然科举落第，与仕途无缘，但他拿得起，忘得掉，很快找到了成就自己的另一个方向，在这条新开辟的道路上，他取得了成功，既为后人留下了宝贵的精神财富，也找到了属于自己的快乐。

歌德说：“一个人不能永远做一个英雄或胜者，但一个人能够永远做一个人。”这里，“做一个英雄或胜者”，就是“拿得起”；而“做一个人”，便是“忘得掉”。拿得起，实在难得，忘得掉，更是可贵。

一个人背着个大包裹历经千辛万苦跑来见一位智者，他说：“我背着一个大包，我感觉自己很疲惫，我磨破了鞋子、磨疼了双脚，我浑身是伤、口干舌燥。为什么我会这样不快乐？”

智者问：“你的大包裹里装的是什么？”

这个人说：“是我积攒了很久的东西，有我每一次失败时的沮丧，每一次跌倒后的悲伤，每一次失意时的烦恼……”

于是智者带此人来到河边，他们跨过独木桥到了对岸。

智者说：“你扛着独木桥赶路吧！”

“什么，扛着独木桥赶路？”这个人很惊讶，“它那么沉，我扛得动吗？”

“是的，你扛不动它。”智者微微一笑，说，“过河时，这独木桥是有用的，但过河后，我们就要学会‘过河拆桥’，轻松赶路，否则它会变成我们的包袱。所有不愉快的人生经历，都可以作为日后生活的借鉴，它能使生命得到升华，但须臾不忘，就会变成人一生的包袱。忘掉它吧！孩子，生命之舟需要轻载。”

这个人听了智者的话，随即放下包袱，继续赶路，他发觉自己的步伐霎时变得轻松、愉快了很多。

可见，忘掉过去，放下包袱，生命之舟就能轻载。生活中有许许多多的包袱，如果成天就这样背着它，怎么能洒脱呢？所以选择忘记吧，忘掉那些搅扰你的生活琐事，忘掉生活中不可承载的压力，忘掉一切你应该忘掉的东西，以一种豁达的态度看待人生，以一种宽心的态度享受人生，为自己营造一个轻松、自由的空间。

有一个老和尚携小和尚游方，途遇一条河。一女子正想过河，却又不敢过。老和尚便主动背该女子趟过了河，然后放下女

子，与小和尚继续赶路。小和尚不禁一路嘀咕：师父怎么了？竟敢背一女子过河？

小和尚一路走，一路想，最后终于忍不住说："师父，你怎么背个女人过河？"

老和尚叹道："我早已忘掉，你却还忘不掉！"

是的，"忘掉"与"忘不掉"，全在人的一念之间。人的一生，曲折而漫长，需要承载和面对的事情会很多，如果我们不能把握人生选择的机会，如果我们把一切重负都背在身上，那样只会让自己活得很累、很狼狈。苦苦地挽留夕阳的，是傻子；久久地感伤春光的，是蠢人。什么也不愿放弃的人，只会失去更珍贵的东西。如果你能够领悟"拿得起，忘得掉"的道理，你才能真正享受人生的快乐！

走出悲观，学会将痛苦“格式化”

人的一生，痛苦无处不在：生老病死、家庭不和、邻里纠纷、亲朋反目、下岗失业……痛苦就像是人身体中的“死结”，如不及时清理疏通，就会殃及我们的健康甚至生命。然而，无论多么痛苦的回忆，我们都可以把它看作是人生影片的一个插曲，及时“格式化”，有助于我们调整悲观情绪，享受生活的快乐。

格式化这一概念源于电脑领域，简单的理解，就等于说是把数据清零，删掉存储器内的所有数据，并将存储器恢复到初始状态，从而提高工作性能。

其实人生就如电脑，电脑需要“格式化”，人生也需要“格式化”。人的一生，不可能没有一点挫折和痛苦，如果我们老是沉浸在回忆中，悲观厌世，那么，只能是死路一条。忘却痛苦需要花很长的时间，因此，最省事、最直接的办法就是把痛苦全部“格式化”。人生无常，面对时刻都在变幻的世界，我们或多或少都会有一种无力感。太多的事情让我们担心了，如果不控制自己，这种悲观的情绪会把自己慢慢逼到死角。

有一位母亲总是十分悲观，她对什么事情都很担心，因此整天生活在痛苦之中。

有一天，这位母亲独自一人去买东西，她把车停好以后，然后到商场采购。等她拎着大包小包出来，走到停车场的时候，发现几位警察正等在她的车子旁边。她慌了，不知道自己犯了什么错，慌乱之下，脑袋竟然一片空白，愣了好半天，才想起打电话给自己的女儿。

“我是妈妈啊！现在××商场的停车场，你赶快来！有好多警察围住了我的车子，不知道发生了什么事！你赶快来啊！”妈妈焦急地对着电话喊。

女儿正在开会，听到妈妈的声音变得颤抖，立刻请了假，朝着不远的商场走去。当女儿赶到的时候，发现妈妈脸色发白，神情紧张。

女儿陪妈妈走到自己的车子旁边，气喘吁吁地问那几位警察：“警察先生，发生了什么事吗？”

几位警察愣了一下，其中一位说：“没发生什么事呀，我们在这值勤呢，警察也得有个地方站一站啊！”

还有一次，母亲患了流感住院，她躺在病床上痛苦地对家人说：“我……我可能不行了！”

原来母亲在自己的病历上发现了一个惊叹号，她认为自己肯定是得了不治之症。家人无奈只好去找护士：“护士小姐，为什么这一床病人的病历表上画了个大惊叹号？”

护士回答：“那是要打点滴的标志，怎么啦？”

可见，情绪悲观，草木皆兵，令这位母亲生活在巨大的痛苦之中。这位母亲的悲观、焦虑、恐慌情绪既给自己带来了不幸，也让周围的人得不到安宁。生活中像这样悲观的人还有很多，他们常常担心走路时天会塌下来，在单位会被领导“穿小鞋”，与人交往会遭到背叛……总之，恐惧与其相伴，失望与其随形，悲观把他们折磨得痛苦不堪。

其实一个人的一生或多或少都会产生悲观情绪，当一些事不尽如人意时，悲观情绪就会悄然无声地光临了。如果不做调整，我们很容易一蹶不振，生活在黑暗之中，永无光明可言。庸者在悲观面前徘徊不前，智者却善于化悲观为乐观，将痛苦“格式化”，从而开创一片人生的新天地。

一天，四岁的麦克在自家农庄后面的树林中玩耍，忽然，他看见不远处有一头豪猪，麦克觉得很有意思，于是睁大了眼睛想看个清楚。可他还没来得及细看，便觉得脸上一阵剧痛，原来一个小伙伴不小心将手里挥动着的极热的烧焊器打在了他脸上。霎时，麦克就什么也看不见了。

麦克很快就被送往医院进行检查，结果他的左眼球被击破。不幸的是，由于炎症，半年后，麦克的右眼也失明了。从此他只能生活在一片黑暗中。

痛苦的麦克整日哭闹，为了鼓励弟弟，哥哥伊安告诉他：“你的耳朵就是你的眼睛！”

麦克听了哥哥的话，照哥哥教他的方法去练习，一段时间后，他可以循着青蛙的叫声捉到它们。

可是光靠耳朵也不行，他还想去看树上熟透的野果，地上忙着搬家的蚂蚁……这时，妈妈对他说：“你的手和脚就是你的眼睛！”

在妈妈的帮助下，麦克学着用手去抚摸东西，用脚去丈量距离。很快，他便在熟悉的环境中行动自如，还能从树上采摘果实。后来，麦克进入了一家盲人学校，学习了很多知识。

麦克渐渐长大，他开始明白自己跟别人不同，并因此变得自卑。一天，爸爸看出了麦克的心思，于是就对他说：“孩子，你的心就是你的眼睛啊！”

麦克认真琢磨父亲的话，忽然，他好像明白了什么。从此之后，麦克逐渐调整自己的心态，他不再抱怨，因为这只会让他更加痛苦，他下决心要用自己的心灵来“看”这个世界。

他试着学习各种乐器，他还开始学习摔跤、游泳、短跑、标枪、铁饼等，并一次次在比赛中获得冠军。

中学期间，麦克先后夺得11项加拿大全国冠军和6个国际锦标赛冠军。后来，在全美首届盲人滑水锦标赛中，他又一次夺冠并创下世界新纪录。1984年的洛杉矶奥运会，他成了从纽约向会场传递圣火的优秀运动员之一，此时他已赢得了103枚奖牌。麦克坚定地向前走，迎来了生命中最辉煌的时刻。

可见，面对人生的巨大遗憾，麦克没有陷入深深的自卑，反而从悲观情绪中走出来，勇敢地忘记了痛苦，迎来了人生新的天地。是的，世事难料，生活中的很多事我们无法主宰，一味地悲观失望，只能让痛苦加剧。

时下，每个有毕业生的家庭都在为孩子考学的事儿烦恼。考上了理想中的学校还好，皆大欢喜，没考上的家庭则是愁云密布。其实家长们大可不必如此。考上了固然是好事，但如果孩子努力了，仍然考不上，那就不要一味地责怪孩子，那样只会让孩子更加痛苦，给孩子的心理造成不良影响。其实，上帝在给我们关上一道门的同时，一定会给我们打开一扇窗。孩子没有考上理想的学校，说不定会在别的地方展露才华。

当你被烦恼困扰得情绪紧张时，当你承受巨大的压力时，请大声地告诉自己，凭借我的斗志和坚强的意志力，完全可以克服困难，可以改变自己痛苦的心境，让痛苦全部“格式化”。

打开生命的桎梏，你就解脱了

生活中，很多人总说活得太累，有人不禁感叹：幸福何在，快乐何在？可是有人问过，镣铐谁上的，巨石谁压的吗？其实这一切的罪魁祸首就是你自己，你束缚了自己的脚步，你让自己的肩上负担重重。解脱吧，放下吧，让你的生命重获自由。

有位哲人曾说，每个人的背上都有一个背篓，一出生时它是空的，后来，我们会不断地往背篓里装东西，我们装的越多，肩膀就越沉重，人也就会感觉越累。如果我们已经累得不堪重负了，那么就请赶快取下背篓，舍弃必须舍弃的，放下应该放下的。否则我们会被那些无形的重担压垮。

学会放下，学会比较，学会知足，然后我们才能快乐，才能幸福。每个人都有自己的想法，怎么想是由自己决定的。同样，快乐是自己的，也是由自己决定的。自己的想法由自己来安排，自己的快乐也由自己来安排。

都说婚姻有七年之痒，可是对于小李来说，刚刚三年就已经力不从心了。他整日焦虑重重，有好长的一段时间，觉得事业、家庭都不顺心，他变得易怒、嫉妒、浮躁，担忧许多的事情，这种烦闷的心情困扰了他很长时间，他不知道应该如何解脱。

一天，领导把小李叫到面前，语重心长地对他说：“年轻人，是不是生活中遇到麻烦了？为什么每天如此沮丧，我放你十天假，你去附近的山上，那里有一位老禅师，你去陪他生活十天。或许十天后我能看到一个不一样的你。”

小李一头雾水，但又不知道应该如何回绝，只能按领导的意图行事。他回到家，告别了妻子，一个人前往山上。当他来到禅房，他看到了一位慈祥、超然、忘我的禅师，面对他，小李把自己所有的困惑和烦恼一吐为快。听完小李的讲述，老禅师只是淡淡地笑了笑，然后伸出右手，握成拳头状，要小李照做。

“你试试看。”老禅师说。

“再握得紧一些。”老禅师说。

小李把拳头握得越来越紧，他的指头几乎被攥进了手心里。

“你有什么感觉？”老禅师问小李。

小李不知道老禅师什么意思，无奈地摇了摇头。

“你可以把拳头打开了。”老禅师说。

当小李把手掌打开的时候，老禅师顺势把一枚青枣和一片玻璃碎片同时放在了小李的手中。

“把它们握紧。”老禅师说。

小李继续把青枣和碎片握在手心。

“握紧一些，再紧一些。”老禅师在一旁说。

小李的手越握越紧，越握越疼。到了最后，小李痛苦地说：

“我的手都快要被割破了，我坚持不下去了。”

“那你快把拳头松开！”老禅师说。

当小李舒展开手掌时，被眼前的情形吓了一跳，只见他的手掌有一些微红的硌痕，那些玻璃碎片已深深地扎到了青枣里面。

“现在，你把扎进青枣的碎片取出来，然后丢掉它吧。”老禅师说。小李犹如醍醐灌顶，瞬间，明白了一切，他的事业和生活就好像那枚青枣，而生活中经常困扰他的那些嫉妒、浮躁、忧虑……就是这片玻璃碎片。

老禅师看了看小李脸上的表情，欣慰地笑了，说道：“施主这次没有白来呀！看来，你已有所领悟。生活中那些美好的事物，就是青枣；那些令人烦恼、忧虑的事情，就是玻璃。握得越紧，伤得越深。人生在世，哪能不遇到烦恼的事情呢？关键是你要及时地抽出身来。”

听了禅师的一席开悟之语，小李豁然开朗。

生活之中，首先，要能够分辨得清哪些事物是“青枣”，哪些事物是“碎片”。其次，应该从“青枣”中取出“碎片”。再次，要寻找生活之中更多的“青枣”，舍弃那些无足轻重的“碎片”。或许，真正做到分清并不容易，但首先我们总得拿出勇气去做，不是吗？

松手吧！因为快乐就在你的手心。放下吧！及时地放下让你烦恼、忧虑、孤独、寂寞的玻璃碎片，因为这些碎片会把你的快乐和幸福扎得千疮百孔。你可以尽情地舞蹈，没有人捆绑你的双脚，快乐是最好的礼物，是你给自己的礼物，快乐吧！你可以的。

不要让坏情绪左右了你的心情

情绪是一个人心情状况的反映，生活中，我们会遇到各种各样的事情：喜怒哀乐、爱恨情仇，我们的情绪也会跟着起伏不定。但如果我们任由自己深陷在消极情绪中，那么种种不良的情绪就会变成阻碍我们人生航程的桎梏。要想让生活充满乐趣，必须勇于忘却过去的不幸，不要让坏情绪左右了你的好心情。

生活中，有很多人都在为一些小事烦恼着：打开衣柜，为衣服不合身而烦恼；打开冰箱，为吃喝不美味而烦恼；打开钱包，为钞票不够花而烦恼；打开门，为天气不晴朗而烦恼。总之，身边的一切似乎都不能让他们满意，他们不但顾虑着现在，还想着未来。今天还没好好享受完，就要苦苦地思索明天怎么过，整天忧心忡忡，被坏情绪所左右。

莎士比亚说："聪明人永远不会坐在那里为他们的损失而哀叹，而是积极寻找办法来弥补他们的损失。"是的，当人们面对坏情绪时，如果不能及时缓解，这类情绪就会困扰你，甚至危害你的身体健康。如果不能用巧妙的方法化解的话，那么，你会觉

得你活得越来越累，快乐也离你越来越远了。

有一个农夫，每天看起来都快快乐乐的，每当新的一天到来的时候，他都会迫不及待地问候一句：“上帝，早上好！”而他的妻子，每天总是心事重重的，当新的一天来临的时候，她总会叹息道：“唉，上帝，怎么又过了一天。”

一个阳光明媚的早晨，农夫欣喜地对妻子喊道：“多么晴朗的天空啊！你见到过这么壮丽的日出吗？”

“是的，天空的确很晴朗。”妻子回答说，“但同时也会带来炎热，我真担心它会把农作物烤焦。”

还有一次是在阵雨的午后，农夫赞叹道：“这真是一场及时雨啊，农作物今天可以开怀畅饮一次了！”

妻子听见后，忧心忡忡地说道：“但愿老天能见好就收，别一下就下个没完，那样农作物会吃不消的。”

“即使是这样，你也不必太担心了，别忘了，我们是买了粮食保险的。”农夫安慰妻子道。

为了让心事沉重的妻子开心、快乐起来，农夫费尽周折地弄来一条既漂亮又训练有素、身价不菲的德国犬。农夫深信这条拥有多种技能的德国犬一定会给妻子带来欢乐的。

这天，农夫精心准备一番，特意请他的妻子观看德国犬的精彩表演。农夫先把一根木棍扔进湖里，然后大声命令德国犬：“去，把木棍给我取回来！”这只德国犬在听到主人的命令后，立刻飞快地向湖边跑去，并毫不犹豫地跳进了湖中。只见这只德国犬在湖中上下翻腾着，一会儿浮出水面，一会儿沉入湖底，没过多久，嘴里就衔着木棍回到了农夫的身边。农夫赞赏地摸了摸德国犬的脑袋，高兴地问妻子："怎么样？这家伙表演得还不错吧？"

本以为妻子会满心欢喜地点头称赞，谁知她手捂胸口，眉头紧皱地回答道："天啊，我都快担心死了！看它在湖里上下翻腾，总怕它会淹死在湖里！亲爱的，以后不要再做这样危险的事了。"

农夫无奈地摇了摇头。

本想帮助妻子改变坏情绪，没想到忙活了半天，却还是在做无用功。农夫的妻子之所以整天忧心忡忡，就是因为她不懂得健忘，什么事情都往坏处想，结果把自己搞得很累，好心情也就远离她而去。

其实人生大可不必如此，在生活中应该学会"健忘"，忘掉那些负面的东西。孔子说，已经做过的事不要再评说了，已经过去的事就不要再追究了。是的，"健忘"能够让我们忘掉幽怨，忘掉伤心事，减轻我们的心理负担，净化我们的思想意识；可以把我们从记忆的苦海中解脱出来，利利索索地做人和享受生活。过去的就过去了，忧愁也没有用，坏情绪只能把自己拖垮，只有好心情才能让自己活得开心。

东汉有个叫孟敏的大臣，出身贫寒，年轻的时候以卖甑（一种古代农具）为生。一天，他的担子掉在地上，甑被摔碎了，他头也不回地径自离去。有人问他："甑摔坏了多可惜啊，你为什么都不回头看一看呢？"孟敏十分坦然地回答："甑已经破了，

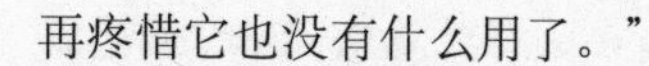

再疼惜它也没有什么用了。”

是的，甑再值钱，再与自己的生计息息相关，可它被摔破，已是无法改变的事实，你为之感到可惜，心急如焚，又有什么用呢？这就是明代大学问家曹臣的《说典》中的一则小故事。这个故事告诉我们：不要为无法改变的事痛惜、后悔，过去的就过去了，惜之也不能再来。

无独有偶，在现代社会，也发生过这样类似的事情：一位老人在高速行驶的火车上不小心把刚买的新鞋从窗口上弄出去了一只，周围的人倍感惋惜。不料那位老人立即把第二只鞋也从窗口扔了下去，这举动更让人大吃一惊。老人解释说：“这一只鞋无论多么昂贵，对我而言都没有用了。如果有谁能捡到一双鞋子，说不定他还能穿呢！”

是呀，甑被打破，不可能恢复原状，鞋子丢了，也不会再回来，任凭你哀叹后悔，捶胸顿足，也无法改变现实。聪明的做法，就是像孟敏那样头也不回，径自离去，或者像那老人一样，把另一只鞋子再扔出去，这才是人生的大智慧。

既然事情无可挽回，就不要再耿耿于怀。要知道，悔恨过去，只会影响眼前的生活。调整好心态，勇敢地面对现在和未来，才是现在最应该做的事情。

辛弃疾说过：“叹人生，不如意事，十之八九。”数百年前如此，数百年后的今天更是如此：下岗，被精简，被老板炒了鱿鱼，事业不如意；落选，被降职，被顶头上司冷落，工作不如意；妻子总是抱怨钱不够花，孩子总是吵吵闹闹，家庭不如意；

经商亏本，路上被窃，生活也不如意……林林总总，不一而足。哪一样都可能给我们带来坏情绪，哪一样都可能毁了我们的好心情。

所以说，人生并不总是充满了诗情画意，痛苦和不幸无时不在，当你总是像那个农妇一样怨天尤人时，你将永远活得太累，不要让“打破的甄”潮湿了我们的心情，不要因为丢掉的一只鞋而伤心不已。我们还有很多事要做，我们没有理由拒绝每一天新的生活，赶走你的坏情绪，让好心情进驻你的心房吧！如果你这样想了又这样做了，那么你会惊奇地发现：心头的阴霾早已消散，剩下的，全是暖暖的阳光！

给心灵加一个“过滤器”

人的一生充满了风风雨雨，而我们总是被自己的经验以及固定的想法包围着，没有任何放松的机会，就如同一台机器一样，每天都在超负荷地运转，总有一天会散架。因此我们得学会给自己的心灵加一个“过滤器”，筛掉所有的烦恼和不幸，过滤掉所有的忧愁和痛苦，只有放下这些沉重的思想包袱，轻装上阵，才能在人生道路上快乐地前行。

人生道路并不总是富有诗情画意，实际上，在人的一生中，美好、快乐的体验往往只是瞬间，占据很小的一部分，而大部分时间则伴随着失望、忧郁和不满。人生中有许多苦痛和悲哀，如果把这些东西都储存在脑海中的话，人生必定会越来越沉重，甚至让你举步维艰。

曾经有一位心理学家做过这样一个试验，在一艘船上，他建议一些总感觉心情沉重的人走到船尾去，向大海倾诉。面对波涛汹涌的海水，把自己的一切烦恼都吐到海水中，直到自己觉得心里舒畅了为止。

结果表明，这种方法确实很有效，很多人都告诉这个心理学家，自己的心情真的得到了一次前所未有的清洗，心中的烦恼好像真的被过滤掉一样全部烟消云散。

在上面这个实验中，难道烦恼真的能像东西一样，被过滤掉吗？这是不太可能的。心理学家只不过是找了一种方法来让这些心情沉重的人发泄自己的郁闷心情，发泄完了，心情也就轻松了，烦恼也随之消失。

是的，要想成为一个快乐的人，就应该经常给自己的心情做一做过滤，一个好的司机不会把车开得太快，一个好的琴师不会把琴弦绷得太紧，而一个善于用表的人也不会把发条上得太紧，一个人如果不能清除困扰自己心灵的情绪残渣，那么就会活得很累很累。

张雅玲是某公司的一名员工，性格有些多愁善感，遇到一点挫折就垂头丧气，总是怪自己太笨了。有时候是工作难度大了，有时候确实是事出有因，有时候是她对自己的要求太高了，可她从不考虑这些因素，只要一遇到不顺心的事，她就一个劲地埋怨自己，刚开始朋友还会来劝她，可总是这样，弄得大家也都没有了好心情和耐性，干脆都不去理会她。久而久之，她越发感觉被人冷落了，结果抑郁成疾……

可见，人生在世，总会遇到这样那样的困境，但是我们要学会调整，自动过滤掉生活中那些不必要的烦恼。如果像张雅玲那样，总爱把那些微不足道的小事放在心上，只会压得自己喘不过气，甚至抑郁成疾。

生活是公平的，没有绝对的幸运，更没有彻底的不幸，别人有这样的好运气，你就会有那样的好机会。在遇到困境的时候，我们应该用一颗积极的心去面对。毕竟，人生不经历一些风风雨雨是不可能的，想要忘记艰辛和烦恼也是不可能的，所以，千万别让自己活得那样沉重，如果一个人总是背着沉重的十字架过一种充满焦躁、愤懑、后悔的生活，不仅对身心无益，还会白白浪费眼前的大好时光。所以，要想成为一个快乐的人，就应该给自己的心灵加一个“过滤器”，学会筛选，学会减压。

露丝的丈夫车祸去世后，露丝变得异常烦躁、易怒，她抱怨生活太不公平，她害怕孤独，害怕寂寞。独居两年后，露丝的脸变得硬邦邦的。

有一天，露丝开着车路过拥挤的小镇，忽然见到一处她喜欢的围栏被拆了。这处围栏颜色灰白，雕刻得十分精致，虽然已有很多年的历史，但仍然透露出一种说不出来的高贵气息。过去露丝和丈夫十分喜欢，经常把车停在路边慢慢欣赏。如今马路拓宽，这处围栏也被拆除掉，露丝感到十分心痛，觉得种种美好的东西似乎都在慢慢离她而去。

围栏后的院子现在变成了一块小草坪，错落有致地绽放着五颜六色的花朵。露丝注意到一个系着围裙、身材瘦小的女人在侍弄鲜花，修剪草坪，神情是那样的平静、自然。

露丝在路边停下车，久久地凝视着那块草坪。草坪里美丽的花朵几乎令她流泪。她索性给车熄了火，走上前来，观看那些花朵。它们还散发着芬芳的气味。她看见那女人正开动一台割草机，修剪草坪。

“喂！”露丝喊着，一边挥着手。

“嘿，亲爱的！”那女人站起身，在围裙上擦了擦手。

“我在看你的花儿，真是太美了。”露丝激动地说。

“来，在门廊上坐一会儿吧，让我告诉你有关花的故事。”那女人熄灭了割草机，朝她微笑道。

“这些花其实并不是一直就有。”那女人直率地说道，“我独自一人生活，原来院子是用围栏围起来的，因为马路拓宽，就把围栏拆除了，我就在草坪里种上各种花儿。现在有许多人到这里来，他们见到这花朵后便向我挥手，有几个人像你一样，甚至走进来，坐在廊上跟我聊天。”

“可院子前的路加宽后，围栏被拆了，草坪也变小了，你难道不介意吗？”露丝问。

“变化是生活中的一部分，当你不喜欢的事情发生后，你面临两个选择：要么痛苦，要么忘掉痛苦。其实拆掉那道围栏，我在这儿种上花，因此也让我结识了很多朋友，生活不再孤独。”那女人说道。

露丝若有所思……

是的，过去的已经过去，为过去哀伤，为过去遗憾，除了劳心费神，分散精力，没有一点益处。我们应该像那个女人一样，精致的围栏拆掉了，我们还能种花，甚至结识更多的朋友。忘掉往事，忘掉不幸，让过去的烦恼统统过滤掉，这样剩下的就全是快乐。

六月的一天，天气十分炎热，有一个小和尚在禅房门口看到师父端坐在烈日下大汗淋漓。小和尚非常惊讶地走向前去，低声问道："师父，你在干什么？"

"没什么，我正在沐浴呢。"师父心平气和地说。

小和尚觉得十分困惑，他出去走了几圈后还是不解，就又回来问师父："师父，我没有看到水啊？"

"我是在沐浴、洗涤心灵，你当然看不到了。"师父静静地回答。

小和尚更奇怪了，就又问："怎么才能让自己的心灵沐浴和洗涤呢，师父可否开导一下弟子？"

师父说："点燃一颗平静的心，在自己的心底煮开半锅水，再过滤掉虚荣、浮华、自大等病根，就可以给心灵沐浴了。"

是的，给身体洗澡，可以洗去肉体的灰尘；为心灵洗澡，方能洗去心灵的污垢。当你的心灵不堪重负时，为何不给自己找一个空间，在冷静的反思中给心灵洗一个澡？只有学会给心灵洗澡，过滤掉心灵中的污垢，才能清空烦恼，重拾快乐。

人生不可能总是坦途，不如意的事情十之八九，这时候就得坦然地面对生活，多调整自己的心态，千万别跟自己过不去。人要学会给自己的心灵加一个"过滤器"，过滤掉所有的忧愁和痛苦，筛掉所有的烦恼和不幸，对自己好一点，不要跟自己过不去，要知道世上没有翻不过的山，更没有过不去的坎。

不要介意别人的批评

不管有多少人批评，怎么批评，竭尽所能去完成自己想完成的事。我们没有必要把时间花费在反驳别人的批评上，其实你做完该做的事就是最有力的反驳。所以我们没有必要为别人的批评而烦恼，忘记那些批评的话语，走自己的路，让别人说去吧。

在一个人的一生中，会遭到各种各样的批评，事做得越大，遭到的批评就会越多。但你绝不要因为别人的批评，就怀恨在心，甚至歇斯底里地反击，因为你做得再好也会有人批评你，对批评太过敏感，只会让自己疲惫不堪。要学会忘记别人对你的批评，这样，你才会活在快乐当中。

1929年，美国教育界发生了一件惊天动地的大事，全国各地的学者都赶到芝加哥去看热闹。有个名叫罗勃·郝金斯的年轻人，被任命为美国第四富有大学——芝加哥大学的校长。他只有30岁，1921年毕业于耶鲁大学，几乎所有的教育者都在批评这位“神童”，说他太年轻了，没经验；教育观念不够成熟……就连

新闻界也参与到了这场攻击战中。

在罗勃·郝金斯上任的第一天，一个亲戚对他的父亲说：“你看报纸了吗？报上攻击你儿子的社论你没看吗？真把我吓坏了。”

郝金斯的父亲平静地回答说：“我看见了，话说得很凶。可是我知道，从来没有人会踢一只死了的狗。”

是的，有谁会去关心一只死狗呢？别人的批评往往证明了你的重要，你值得关注。所以，在你被别人品头论足、无端诽谤时，你无须记住，无须在意，重要的是走好自己的路，让他们去说吧。

马修·布拉许在华尔街40号美国国际公司任总裁的时候，承认自己对别人的批评很敏感。他说：“我当时急于要让公司里的每一个人都认为我非常完美，要是他们不这样想的话，就会让我感到自卑。只要我知道有人对我有成见时，我就会想尽办法讨好他。可是当我讨好他的同时，又得罪了另一个人。等我再来讨好这个人的时候，又会惹恼其他的人。这样就形成了无休止的恶性循环。后来我发现，我愈想去取悦，以避免别人对我批评，就愈会使我的敌人增加，最后我告诫自己：‘你能力越大，你所受到的批评就越多，只要习惯就好了。’从那以后，我决定尽心尽力地做事，而把我那把破旧的保护伞收了起来。让批评我的雨水尽情地下下来吧！让它从我身上流下去，而不是滴在我的脖子里。”

狄姆士·泰勒更胜一筹。他让批评的雨滴在了他的脖子上，并且当众为这件事情大笑一番。有一段时间，他在每个周末下午的空中音乐会上，利用一点时间发表音乐方面的评论。但这引起了很多人的不满，有一个女人写信说他是“白痴、骗子，在浪费时间”。第二个礼拜，在同一个节目里，狄姆士·泰勒把这封信读给好几百万人听。过了几天，他又收到了这位女士写来的另外一封信，信中说她丝毫没有改变她的意见。泰勒说：“她仍然没有改变对我的成见，说我是一个白痴、骗子，在浪费时间。”

面对他人的批评，每个人都会有压力，如何释放压力，关键在于你如何对待外来的批评。如果你没通过任何分辨就在心里接受了别人的批评，并暗示自己在别人眼里是多么的不完美，自卑的影子就会始终伴随着你，并影响你的情绪。如果你能将别人的批评置之脑后，用行动来证明结果，那么所有的批评都会不攻自破。如果你能对他们的批评笑一笑，相信受害的人永远不会是你。

查尔斯·舒伟伯在普林斯顿大学演讲的时候表示，他一生中最重要的一个老师是一个在钢铁厂里做事的老德国人。舒伟伯先生说：“当那个满身都是泥和水的老德国人走进我的办公室时，我问他：‘那些人把你丢下了河里，你对他们怎么说？’他微笑着说：‘我只是笑一笑。’”

后来“只是笑一笑”成为查尔斯·舒伟伯的座右铭。

当你受到不公正的批评时，那就笑一笑吧！因为别人骂你，你也可以回骂，但那有用吗？当人们面对那些笑一笑的人，又能说什么呢？郑板桥说“难得糊涂”，面对不公的批评轻轻地笑一笑，未免不是一种豁达，这样就很容易从因批评产生的不悦中解脱出来，从而获得快乐。

告别往事，让爱带来快乐

“有缘千里来相会，无缘对面不相逢”，在生命这场奇异的旅行中，爱情是最美丽的一种缘分，缘来不易，我们都应该好好珍惜。有缘才会有爱，有爱才会有快乐，但是如果你总是纠缠于过去的事，那么你将永远无法享受到爱情的甜蜜。

古人云：“缘，源自圆，乃命中注定，即缘分。”俗话说：“有缘千里来相会，无缘对面不相识，十年修得同船渡，百年修得共枕眠。”台湾作家林清玄也说：“有愿才会有缘，缘分二字，缘是天意，份在人为”。

是的，茫茫人海中，我们能够相遇，这是多么难得的缘分。因为一个“缘”字，把远在天涯海角的两个人，紧紧地连接在了一起。爱情是快乐的，相爱，就要忘却爱情旅途中的那些往事，不爱了，就要放手，潇洒地和往事说再见。学会忘却，是一种境界；学会忘却，我们就能做快乐、幸福的人。

朝阳和小菲一个月前成为新婚夫妻。他们恋爱了三个月，便闪电结婚。

他们相识的时候同病相怜：都失恋了。分手的性质都一样，都是其中一个人对婚姻充满期待时，对方却遗憾地说："对不起，我不能跟你结婚。"不同的是，小菲是被人抛弃，而朝阳则是抛弃了别人。

小菲说，当前男友告诉她，她只适合当情人而不是妻子的那一瞬间，她几乎崩溃，什么也没说，只觉得整颗心被掏空了，不是痛，而是空荡荡的，那些柔软的温顺的东西正一点点地从她体内慢慢滑出去……

男人变了心，恳求他回心转意，非但挽回不了他，还得赔上自己那一点可怜的尊严。于是，小菲转过身，给了对方自由，但是他人一走，她的身子就像是瘫痪了。

朝阳那时也处在茫然期，他说自己很爱前女友，但无法忍受一个女人没有目标，甚至没有思想，只知道天天倚在家门口吃着零食等他回家。他说那种感觉很绝望，觉得这种爱情会让自己患上肌无力，唯有放弃。

朝阳与小菲这两个天涯沦落人之间的爱情是以相互取暖的姿态开始的，而且发展得非常顺利。

说起朝阳求婚时的情景，小菲总是很甜蜜："虽然他漫不经心地掏出一个连钻石也没有镶嵌的戒指，但我仍旧激动得哭了。那些甜言蜜语的情话，我在前男友那里听得太多了，就算搬来十箩筐的甜言蜜语又怎及一个最朴实的求婚来得真实？"

在婚宴上，朝阳和小菲相视一笑，潇洒地举杯："让爱和往

事干杯！”

可见，相爱就要懂得忘却，轻装前行，爱情的旅途才会快乐。

尽管不爱的理由有很多，但是不爱了就是不爱了。与其怀揣着过去的烦恼，背负着现实的痛苦，倒不如潇洒地选择忘却，这不是让人去逃避，而是要在忘却中珍惜，在忘却后享受爱情的欢乐。

爱情犹如舞池里的圆舞曲，一定要两个人同心协力，依照相同的节奏，踩着相同的步伐，才能跳出动人的舞姿。如果一方累了，不想跳了，你硬要抓着他的手、拖住他一起跳，请问这样跳出来的舞还会好看吗？一定不会，只会让两个人都跌个四脚朝天，十分狼狈不说，心情一定是糟糕透顶。

李闻最近郁郁寡欢，因为他快30岁了，终身大事还未解决。更叫他气愤的是，前不久和他相恋了三年的女友和一个有钱的人另结了新欢，失恋的李闻痛不欲生，可是既不能挽回又无法割舍那份三年的情感。

在一次朋友聚会上，李闻在朋友家的阳台上看到了一盆蟹爪莲，绿叶葱葱郁郁，在阳光的照射下绽放着非常灿烂的笑脸。

“哇，好美！”李闻禁不住低呼一声。

“它很美吗？”朋友轻轻地来到李闻身边，“来，让我来给你讲一讲它的故事”。

“一年前，我在垃圾堆中发现了它的幼苗，当时它长在一个破烂的花盆里，已经被人抛弃了。于是我把它移到家来，每天松土、浇水，太阳一出来，我就把它抱到阳台上，让它享受阳光的照耀。你看，一年了，它从困境中活了过来，它现在长得多好啊。”说到这里，朋友意味深长地看了李闻一眼，“天下没有过不去的坎，李闻，你说是吗？”

正在凝神观花的李闻若有所思。随后，他轻轻地长舒了一口气……

也许，我们心头总缠绕着一个结，认为无疾而终的分手，总是让人不甘心，为了这种不甘心，苦苦地死守，以求能换来回心转意。可是这样做快乐吗？不能走出往事，永远在过去的阴影中停留，这样不仅会毁了别人，也会耽误自己。爱恨随缘，人生的爱有很多很多，有时，忘记抓不牢的，寻找更适合自己的也未尝不是一件好事。爱是一件快乐的事情，当爱情不在时，不要再在往事中徘徊，当对方执意要走，就让他（她）走吧！忘却，才能真正获得快乐！

爱情需要忘却，一旦在往事上穷追不舍，爱情就会像负重的蜗牛一样举步维艰。正如一首歌唱道：“孤单不一定不快乐，忘却不一定是软弱。”是的，不管往事如何，珍惜相爱的缘分，忘却痛苦的事，这样你才能感受到爱情的快乐！

忘记身外之物，让心灵真正快乐

人们对于钱财等身外之物的追求就像是登山，到了山顶，才发现前面还有更高的山。“一山更比一山高”，山是永远登不完的，钱财也是永远无法揽尽的，如果你无法忘记这些身外之物的诱惑，执意要登上山顶，那么唯一的可能是，你永远无法让心灵真正得到快乐，永远是一个行色匆匆的赶路人。

佛语说：“钱财乃身外之物，生不带来，死不带去。”但是在这个物欲横流的社会，人们对这些身外之物的追求却异乎狂热。为了得到金钱、地位、荣誉等这些身外之物，他们孤注一掷，甚至不惜牺牲一切。

得到了这些身外之物就会快乐吗？事实并非如此，欲壑难填，永远地走在追名逐利的路上，心灵的包袱会十分沉重。只有忘记这些身外之物，心平气和地享受人生，做一个知足的人，心灵才会解负，这样的人才是一个真正快乐的人。

杨光是一个默默无闻的推销员，他没有受过很好的教育，背井离乡的生活让他感到孤独、无助。他曾经想过各种死的方式。

有一次他想从宿舍的窗口跳出去自杀，为了鼓足勇气跳出窗子，他喝了很多酒。由于喝得太多，他醉倒在窗旁一直睡到天亮。第二天早上醒来时，他对自己感到更加失望。

有一位朋友看到他的境况很为他担忧，于是建议他重新评估自己的生活。这位朋友问杨光："假如你想拥有一个制造冰激凌的工厂，当你真的拥有它时你发现它生产的不是冰激凌，而是碳酸，你怎么办？"

杨光疑惑地摇摇头，朋友接着说："每个人都有自己的思想工厂，这家工厂就在你的心里，你是厂长，你可以主宰这家工厂。想想吧，你是怎么管理这家工厂的，看看吧，你的工厂里生产的是些什么东西——孤独、悲伤、畏惧、愤怒、自卑、哀怨、不快乐和贫穷。你的思想工厂一团乱麻，生产的也只是一些废物，这些废物不光耗费你的精力，还占用了你思想的空间。"

那一夜，杨光久久不能入睡，反复思量朋友的话。他突然意识到，自己不能这样活下去，自己要转变想法，改变活法。不要总做自己的敌人，尝试着做自己的朋友。要相信自己，相信心里想什么就会有什么。

说实话杨光赢得了这场战争确实不容易。他决心要让自己的思想工厂生产有用的东西——充实、勇气、宽容、快乐、怜悯、公正、慷慨、爱和友善。拒绝生产废物，当然这需要很大的勇气和力量。

他时刻提醒自己不要变回过去那个自卑的可怜虫，他做到了，他在不断进取的过程中不仅获得了成功，也收获了快乐。

每次杨光战胜了一个小困难后，他都会给自己一个奖励：去酒吧放松一下自己；去品尝一些美食；或是买一些啤酒和朋友一起庆祝。杨光在进取中体会快乐，他感觉所有的一切都是那么美好，生活、工作都是那么阳光灿烂，他的精神焕发着夺目的光彩，这让他每天都过得充实而快乐。

人生好比是一匹奔跑的马，如果被拴上了绳子，在功名利禄的诱惑下，它只顾卖力地奔跑，哪还会有时间停下来欣赏路边的风景？

所以，忘记那些身外之物，这才是心灵真正快乐的途径。

高清杨和一个年纪比自己大的朋友相约登山，因为担心缺食少水，高清杨在爬山前准备了一个大背包，吃的、喝的、用的无所不有。朋友看了看他鼓囊囊的背包，笑着提醒他说："包袱太重，就不能轻装上阵。"高清杨不以为然。

刚开始，高清杨还能亦步亦趋，紧跟在朋友的身后，边走边和朋友讨论事情。不一会儿，高清杨就感到有些吃力了，于是他问朋友："你比我年纪大那么多，为什么走起路来却健步如飞，而我却越来越吃力呢？"

朋友说："放下包袱，只有这样你才能轻装上阵。"

高清杨观察了一番，发现一路上泉水叮当，看来水是不用背了，于是就把背包里的水壶掏出来放在路边的石头上。

又走了一段路程，高清杨发现自己竟然被朋友落下一大截。朋友回头看了看他说："放下包袱！"高清杨虽然有点舍不得，但看到朋友坚定的目光，就索性将背包里所有的食物都拿出来扔在路边，但高清杨还是落得越来越远了。

朋友再次说："放下包袱。"高清杨大惑不解："我已经把包袱全掏空放下了，怎么还让我放下包袱呢？"朋友笑了笑说："你身上的包袱是放下了，但心里的包袱依旧存在，心里的包袱，往往比身体的包袱更可怕。"

高清杨愈加不解："你怎么知道我心里还背着包袱呢？"朋友说："很简单，因为既然放下了，就忘记它，不要再回头看。"

朋友的一句话，道出了放下的真谛，何谓真正的"放下"？掏空心灵的包袱，忘掉那些身外之物，不再回头看，即为放下。

这个故事说明了，如果你无法忘记那些身外之物，背着沉重的心理包袱，那么你永远无法快乐前行。

经常听到有人抱怨：生活太累，物价太贵，工作太无趣，无论走到哪里，身上都背着沉重的包袱，压得自己喘不过气来。但是不知你想过没有，真正使我们身心不快乐的是那些心灵的包袱，你无法忘记这些，所以你活得不快乐。蜗牛爬得很慢，是因为它背着重重的壳；人活得不快乐，是因为心里无法忘记那些身外之物。

所以说，忘记是对痛苦的一种解脱，是对自我的一种释放。在人生的旅途中，要学会让那些功名利禄不再萦绕于脑际，让心中曾经不快乐的印记消失殆尽。如果我们善于忘记，将身外这些沉重的包袱、无形的枷锁统统卸载，那就会给我们带来心境的安宁和精神的轻松，就会活出最快乐的自己。

“往事如烟俱忘却，心底无私天地宽”，其实人生一切痛苦的根源，都是对于钱财、地位、荣誉等这些身外之物的追逐。无休无止的追逐把人折磨得就像沙漠中的一粒沙子，想要找一个出口，却不断地迷路。有的人无法忘记这些，弄得自己终生忙忙碌碌，生命也因此匆匆忙忙，毫无快乐可言，其实人生根本不需要活得这样累，“心无杂念一身轻”，忘记了身外之物，你就能让心灵真正得到快乐。

你若盛开，清风自来

特邀审校：佳文编校
封面设计：夏　鹏
版式设计：孙阳阳
文字编辑：李国斌
美术编辑：何冬宁